フィンランドはなぜ「世界一幸せな国」になったのか

岩竹美加子

GS
幻冬舎新書
653

はじめに

「北欧の日本」と自称していた

フィンランドに住み始めたのは１９９１年の夏。たくさんの群島が浮かぶ海に向かって開ける、トゥルクという街に住んだ。夏のフィンランドは美しい。光に満ちてまばゆいほど明るく、湿度が低くて空気が軽い。

私は、アメリカの大学院でフィンランド出身の夫と知り合った。アメリカに行ったとき、留学後は日本に帰るつもりでいた。フィンランドに移り住むなど全く考えていなかったことで、大きな決断を要した。マリメッコとムーミンくらいは知っていたが、北欧に関心を持ったことも行ったこともなかった。当時は必要な科目を取り、博士号資格試験とフランス語の外国語試験に受かっていて、ＡＢＤ（all but dissertation、博士論文を残すだけ）だった。アメリカにいる間に、夫の知り合いがフィンランドの2つの大学に非常勤講師の口をアレンジしてくれていた。そうでなければ、まったく知らない国に移り住むことはできなかった。

行ってみたフィンランドは華美さがなくて質素、清楚な印象だった。80年代バブル期の日本の感覚を身につけていた私には、生活スタイルが消費的でないことが印象的で驚きでもあった。日本では、大量生産と大量消費が経済政策として奨励されていて、新しく買った物でもバンバン捨てていた。一度も着ないまま捨てる服もあった。80年代のフィンランドは、「北欧の日本」と自称するほど経済成長していたのだが、洋服は古くならない。昔の服やセカンドハンドで買った服を着るのは普通だった。女性も毎日、服を取り替える必要はなく、連日、同じ服でも構わない。消費的ではない反面、住居など生活の基本がしっかりしていた。初めて住んだのは集合住宅。とてもガッチリした作りで、天井が高く窓が大きい。床暖房だけなのに、家の中は冬も暖かい。

90年代前半はノキアの携帯が出現し、携帯で話しながら街中を歩く人を見かけるようになった。当時は高価で、「家に電話あるんだからいらないよね」と思っていた。でも、その後値段が下がり携帯の方が便利になって、90年代末には家から固定電話が消えた。

私が住んでいた90年代のトゥルクは、ソ連崩壊による不況の影響でレストランの廃業が相ついだのだが、今はおしゃれなレストランやカフェの多い北欧の小都市に変わっている。1200年代頃から発達したフィンランドで最も古い街で、かつてはバルト海世界の一部だった。そこにはコペンハーゲン、ストックホルム、ヘルシンキ、サンクトペテルブルグ、タリンなどの都市が発達した。

トゥルクの近くには大小の島が無数にあって、夏と秋はサイクリングを楽しんだ。島々をつなぐフェリーを乗り継いで、遠出をすることもあった。光、海、空気、風、空、雲、島、岩、森、動植物。「森と湖のフィンランド」とよく言われる。それは、ナショナルロマン主義の作家で歴史家のザハリウス・トペリウス（1818－1898）が1800年代中期に創出したイメージなのだが、私は今も「海と島のフィンランド」の方に心惹かれる。

大国に囲まれた貧しい国だった

フィンランドについて手短に説明すると、人口は約553万人。そのうち、7・3％は外国生まれだ。フィンランド語とスウェーデン語が公用語だが、スウェーデン語を母語とする人は約5・2％と少ない。両方の言葉を話すバイリンガルの人は、スウェーデン語系の人の方に多い。

フィンランドは、14世紀頃から1809年までスウェーデンの一部だったが、ナポレオン戦争後の1809年にロシアに譲渡され、1917年ロシア革命後の独立までロシアの自治大公国だった。1917年12月の独立後、1918年1月から5月まで内戦があった。第二次世界大戦は冬戦争（1939年11月－1940年3月）、継続戦争（1941年6月－1944年9月）、ラップランド戦争（1944年9月－1945年4月）として経験。冬戦争は、ソ連の攻撃に対して単独で戦った105日間の戦争で、季節が冬だったのでその名で呼ばれている。この戦争は短かったが、ソ連という敵に対して心を一つに戦った高揚感があり、内戦のトラウマを癒やす効果を持った。継続戦争は、ナチスドイツと同盟を結びソ連に対して戦った戦争で、その解釈は冬戦争より複雑になる。ラップランド戦争は、継続戦争後ラップランドに残ったドイツ兵と戦った戦争で、これまであまり語られてこなかった。

第二次世界大戦後は、東西対立の冷戦の文脈で「フィンランド化」と呼ばれる外交政策がとられた。1948年に共産主義の隣国ソ連と「友好協力相互援助条約」を結び、本心では西側の民主主義に共鳴しつつ、軍事大国ソ連の顔色をうかがいながら外交的な綱渡りをしていくことになった。1991年のソ連崩壊まで続いた条約である。

冷戦下のフィンランドに大きな変化が起きるのは、60年代後半だ。60年代は西欧世界に「性の解放」や「女性解放」の動きが起きた時代で、フィンランドもその影響を受けた。左派や学生運動、共産主義の高まりなどがあり、男女平等、家事育児の分担、教育改革などにつながっていった。1968年に共産圏のチェコスロバキアで、ソ連の支配に抵抗する「プラハの春」と呼ばれる自由化運動が起こり、言論の自由や市場原理の導入が図られた。しかし、ソ連軍によるプラハへの侵攻と、占領によって潰されたことは人ごとではなく、深刻な脅威として受け止められた。1991年のソ連の崩壊によって、フィンランドは主要な輸出国を失い深刻な不況に陥るのだが、政治的にはソ連の崩壊は朗報だった。

フィンランドは北欧5ヶ国の一員でもある。北欧が地理的概念として成立し、5ヶ国（アイスランド、スウェーデン、デンマーク、ノルウェー、フィンランド）から成ると合意され、それぞれが現在のような区分になるのは1800年代。歴史的にはデンマークとスウェーデンが強大な王国で、覇権をめぐる争いが繰り返されてきた。

ノルウェーは、1397年から1814年までデンマークの、1814年から1905年の独立まではスウェーデンの一部だった。デンマークは、ノルウェーに加えアイスランド、グリーンランド、ドイツの一部などに領土を持っており、スウェーデン南部がデンマークの一部だった時期も長い。スウェーデンは1600年代にスウェーデン帝国として出現。1731年には東インド会社を設立、中国などとの貿易で富をなし、1700年代から1800年代はアフリカなどに植民地を持っていた。ノルウェーは貧しかったが、1960年代の北海油田開発によって富裕化。そうした中で、フィンランドは貧しい国だった。

2000年、多くの世界ランキングで上位に

地味な小国フィンランドが国際的な注目を浴びたのは、2000年にPISA（OECDによる、15歳の子どもの学習到達度国際比較）で1位になったときである。PISAは3年ごと

に行われるテストで、読解リテラシー（読解力）、数学的リテラシー、科学的リテラシーを主な分野としている。フィンランドは教育改革を進めていたが、世界一と評されるとは思っていなかった。思いがけないことで、驚きと自信をもたらすことになった。フィンランドの教育は無償で強い平等思想を持ち、社会的な格差を減らすことは目的の一つだ。それは、格差を広げる新自由主義に抵抗するものでもあるのだが、世界の教育ランキングという新自由主義的な行為によって評価されたのは皮肉でもある。

その後、ジェンダーギャップ指数や世界幸福度レポート、デジタル化なども世界のトップに位置づけられるようになった。ジェンダーギャップ指数は、世界経済フォーラムが２００６年から始めた調査で毎年行われ、男女格差がいかに縮められたか、変わっていないか、また広がったかを数値化して順位づける。２０２１年のフィンランドは１５６ヶ国中、総合２位、政治２位、経済13位、教育１位。日本は総合１２０位、政治１４７位、経済１１７位、教育92位である。

世界幸福度レポートは、「国連持続可能な開発ソリューション・ネットワーク」が２０１２年から始めた調査で、人口当たりのＧＤＰ（国内総生産）、社会的支援、健康寿命、人生の選択の自由度、他者への寛容性、政治への信頼度を主な項目としている。フィンランドは２０１８年から５年連続して１位。２０２２年の日本は、１４６ヶ国中54位だった。２０２２年のレポートは、コロナ禍も考慮に入れた内容になっている。

デジタル化も進んでいる。欧州連合の「デジタル経済社会指数（ＤＥＳＩ）」は２０１４年に始まり、メンバー国のデジタル化の進展を追っている。フィンランドは、２０１９年と２０２０年に連続して1位だった。「デジタル経済社会指数」はつながり、人的資本、インターネットサービスの使用、デジタルテクノロジーの取り込み、デジタルな公共サービスの5分野に分けられている。ブロードバンド接続、デジタルスキル、インターネットの使用、ビジネスのデジタル化、公共サービスのデジタル化、サイバーセキュリティ、ＩＣＴセクターとその研究開発（Ｒ＆Ｄ）への出費などを評価するものだ。

欧州連合の女性について調査、比較、ランクづけした「デジタルポリシーの中の女性」も出されている。２０２０年は、29ヶ国中フィンランドは1位だった。インターネットの使用、インターネット使用者のスキル、特別なスキルと雇用の3つの項目に分けられ、それぞれがさらに細分されている。ＳＴＥＭ（サイエンス、テクノロジー、エンジニア、マスマティックス）の学位、ＩＣＴスペシャリストの数なども評価の対象になっている。

日本生産性本部が発表した「労働生産性の国際比較２０２１」によると、フィンランドの１人当たりのＧＤＰは5万８８１１ドル（５２３万円）で、ＯＥＣＤ加盟国38ヶ国中14位。日本は、４万１７７５ドル（４３０万円）で23位である。また、２０２０年のＯＥＣＤ加盟国38ヶ国中、労働生産性では就業者１人当たり、フィンランドは11万１１５４ドル（１１４４万６６３８円）で12位、日本は７万８６５５ドル（８０９万９８９１円）で28位だ。

世界のランキングは、ビッグデータを駆使することが可能になって行われるようになった。必ずしもそれを絶対視する必要はない反面、一つの指標として読むことができるだろう。

ウェルビーイングを尊重する

フィンランドは、とても明快な原則を持ち、その上に成り立っている国といえる。ウェルビーイング、平等、人権、法の支配などは最も基本的な原則である。ウェルビーイングは、とても幅広い概念だ。健康で体調が良く心地よい。日々の生活が快適で安心して暮らせる。経済的な安全。諸権利が守られている。自己肯定感を持ち、他人も尊重できる。人と心地よくつながっている。差別やいじめ、虐待がない。必要なら支援や保障を受けられる。貧困や紛争、戦争からの自由。ウェルビーイングは身体的、精神的、経済的な日々の体感の集積であり、そこからさらに社会や国家に広がる感覚でもある。フィンランド語で、福祉社会はウェルビーイング社会、福祉国家はウェルビーイング国家。日本では、福祉は社会的弱者に対する上からの公的なサービスや施しを指し、困窮したときに受けるものと理解されている。しかし、フィンランドのウェルビーイングは、自分の体感から発して社会と国家につながっていくものだ。

ただし、フィンランドにも新自由主義の波は押し寄せていて、社会・経済格差を拡大する気配を見せ、平等の原則に緊張感をもたらしている。フィンランドは平等を重視し、社会・経済格差を減らす努力をしてきた。最近は人々のウェルビーイングを支援し、良い人生を生きるために必要なことを保証するような経済産業を指して、ウェルビーイング経済という概念が導入されている。それは、持続可能な経済成長をもたらすものとして構想されている。

30年前は「東西の架け橋」と呼ばれていた

私が住み始めた90年代初めのフィンランドは、今とはかなり違っていた。外国人は少なく、あまり国際的ではなかった。当時は「フィンランドは東西の境界」「狭間」「東西の架け橋」などとよく言われていて、北欧なのに東西意識が強いことを不思議に思った。しかし、１９９１年のソ連崩壊と１９９５年の欧州連合加入は大きな変化をもたらし、ヨーロッパの中に自己を再定義していくきっかけになった。

「東西の境界」や「狭間」には、３つの意味がある。１つは政治経済的なもので、前述したように冷戦時代の共産主義のソ連・東欧と、民主主義・資本主義の西欧という分断を指す。フィンランドは、その間のバランスをとって舵取《かじと》りしていたが、その「親ソ的」「中立的」な態度から、フィンランドを東欧に近いものとする見方もあった。東欧との関連を思いおこさせるものとして、時間帯がある。現在もフィンランドでは、西欧の標準時ではなく1時間遅れの東欧の時間が使われている。

２つ目は宗教的、文化的な意味だ。キリスト教的歴史認識によると、１０５４年にローマ帝国が東西に分裂したときにヨーロッパは東西に分かれた。西はローマ・カトリック教会化、東は正教会化された。ギリシャ正教、ブルガリア正教、ルーマニア正教、ロシア正教などは東方正教会とも呼ばれる。１５１０年代の宗教改革を経て、フィンランドを含む北欧ではプロテスタントのルター派が主流になった。文字も西ではラテン文字が、東ではキリル文字が使われる。

３つ目は、言語的な側面である。フィンランド語は印欧語ではなく、フィン－ウゴル語として分類された。言語の分類は18世紀から試みられていたが、19世紀になると比較印欧語研究が台頭し、文法、子音の音韻変化、規則性などが研究された。比較印欧語研究は、「祖語《そご》」になる言語とその揺籃《ようらん》の地、時間的・地理的分岐と進化に強い関心を持った。人種・言語・文化には強い関連があると考えられていて、祖語が存在すること、祖語を話す集団が居住していた民族揺籃の地があること、そこからの移動によって言語間の差異が生じたことが想定された。フィン－ウゴル語の祖語が話されていたのは、中央アジアとされたことも、東西の狭間という意識を作っていた。

19世紀後半には、西（欧）には近代、文明、進歩、東（欧）には前近代、後進、停滞などの意味づけがされていった。それは、西欧を近代、非西欧を前近代・伝統と二元化した歴史的意識と重なるものでもある。

しかし、１９９５年の欧州連合加入はそうした枠組みから離れ、「西欧的」なものを志向し、同一化していく契機になった。それは、東西ではなく南北意識を強めることになった。プロテスタントの北ヨーロッパとカトリックの南ヨーロッパという、宗教に基づく大まかな区分である。１５１０年代にドイツの修道士マルティン・ルター（１４８３－１５４６）は、ローマ・カトリック教会を批判して宗教改革を起こした。ローマ・カトリック教会に抗議（プロテスト）するものだったので、ルターによる新しい宗派はプロテスタントと呼ばれるようになる。宗教改革については、第６章でより詳しく見るが、フィンランドではプロテスタントとカトリックの関係は「近代」と「伝統」の関係として意識されている。前者は宗教を改革した近代、後者は改革のなかった伝統という感じ方である。たとえば、北欧諸国は男女平等だがスペイン、イタリアなど南欧諸国は家父長的で女性の地位は高くないと感じられている。最近は「フィンランドは東西の境界」「狭間」「東西の架け橋」という発言はまったく聞かない。こうした変化はとても興味深い。この30年は、そうした大きな変化を体験した貴重な時間だった。

フィンランド生活が常に快適だったわけではない

私がフィンランドに住み始めた1991年は、日本にとってはバブル崩壊という大きな変化が始まった年でもあった。その後、「失われた20年」は「失われた30年」に引き伸ばされ、日本の経済は低迷し続けている。また、経済だけではなく社会や教育、ジェンダー、女性の生き方の選択肢なども同様だ。

その国をどう経験するかは、生まれ育った環境やそれまでの人生、そのときの人生の状況や立場などによってとても異なる。自分の留学や研究、仕事で来ている、夫の仕事で来ている、その国の人、または他の国の人と結婚している、交際している、離婚した、子どもがいる、いないなど。さまざまなことに影響されるので、その国についての経験はそれぞれ異なる。

私は、東京のサラリーマン家庭に生まれ育った。なぜか子どものときから、今住んでいる世界はさまざまなあり方の一つにすぎない、もっと他のあり方があるはずと思っていた。大学卒業後、会社勤務をしていたが、明白な女性差別があり、女性は何年勤めても同じ事務の仕事の繰り返ししかなかった。30歳のとき、アメリカの大学院に入学したことは、人生の大きな転機になった。そして、今フィンランドで暮らすのは、とても快適に感じている。ただし、常にそう感じていたわけではなかった。理解するのは、時間のかかるプロセスでもある。

フィンランドが人権や平等を重視し、人々のウェルビーイングを気づかって、自助共助ではなく公助を惜しまないことを素晴らしいと思う。教育格差をつくらないために無償の教育を提供し、きめ細かい指導を行う。弱者を気づかい、落ちこぼれる人を出さないことを重視する。人を学生と社会人に分けず、いくつになっても学べる制度がある。仕事と私生活、休暇のワークライフバランスを尊重する。シングルマザーや外国人、性的マイノリティの人たちにも平等なケアとサービスを提供し、国家のための人ではなく、人のための国家を希求している。

本書は働き方（第１章）、デジタル化政策（第２章）、教育（第３章）、妊娠・出産（第４章）、子育て（第５章）、医療・介護（第６章）という構成になっている。私自身の経験、また息子を通した経験から発しつつ、国の制度や歴史的な経緯、それらの背後にある考え方や思想にもふれている。

※本書では、１ユーロは１３０円で計算している。

フィンランドはなぜ「世界一幸せな国」になったのか／目次

第5章 男性にも女性にもやさしい子育て 155

図版・DTP 美創

フィンランド地図

イヴァロ
ロヴァニエミ
スウェーデン
ロシア連邦
オウル
クオピオ
ユヴァスキュラ
タンペレ
トゥルク
ヘルシンキ
エスポー
フィンランド
ロシア連邦
ノルウェー
スウェーデン
エストニア
ラトビア
リトアニア
デンマーク
アイルランド
イギリス
ベラルーシ
オランダ
ポーランド
ドイツ
ベルギー
ウクライナ
チェコ
スロバキア
モルドバ
オーストリア
ハンガリー
フランス
スイス
ルーマニア
スロベニア
クロアチア
ボスニア・
ヘルツェゴビナ
セルビア
ブルガリア
イタリア
コソボ
ポルトガル
モンテネグロ
マケドニア
スペイン
アルバニア
トルコ
ギリシャ

第1章
自己責任ではない「働き方」

持ち家購入は簡単でサポートもある

息子とパートナーが家を買ったのは、コロナ禍が始まる直前、２０２０年２月だった。息子は、応用科学大学でエンジニアリングを専攻し、２０１８年に卒業。卒業半年前に必要な単位を取り、専攻分野に近い会社に応募して半年間の契約で仕事を得た。学士論文はその会社にも関わるテーマで、助成金も少しもらった。一度契約を更新したが、卒業後、より良い条件の会社を見つけて応募し採用された。最初は１年間の契約だったが、８ヶ月たって正社員に。そこでプロジェクト・エンジニアとして働いたが、会社の一部がスウェーデンの会社に買収され、２０１９年11月にそこに異動。ただし、息子のいる部門はそっくり異動し、上司や同僚、労働条件は以前と同じだったという。

２０２０年春に思いがけずコロナ禍が広がり、６月から12月まで半年間休職になった。休職中は、所属している組合からの保障と国民年金機構（Kela, Kansaneläkelaitos）からの失業保険を受け、幸い会社には２０２１年１月に復職。コロナ禍の前に、サイエンスの修士をとるための大学入学許可を得ていたので、休職中の９月からオンラインで勉強を始め、２０２２年末には修了の予定だ。建設中だった家が完成して引っ越したのは、２０２０年９月。

コロナ禍と休職という状況で家を買ったことを、私は少し心配した。でも、本人がそれほどの不安を感じていなかったのは、パートナーに定職がある、社会的なセーフティネットがあるなど、生活への基本的な安心感があったからのようだ。引っ越し後、しばらくして２人は婚約。フィンランドでは、親密な関係にある２人の同居は事実婚なので、事実婚から婚約へと進んだことになる。

２人は、応用科学大学で知り合った。パートナーは、エンジニアの素敵な女性だ。在学中からある会社で働き、そこで期限つきの契約を何度か更新。卒業に６年かけたが、正規のポジションを得た。日本では、「リケジョ」ということになる。フィンランドでは、これまで女性が少なかったＳＴＥＭの領域を小学校の段階から奨励している。

２人は約１年交際した後、同居を始めた。息子は学生寮に住んでいたが、卒業を機にそこを出て、彼女が借りていた民間の集合住宅に移った。52平米の部屋と、ガラス張りのテラス。新しくておしゃれなのだが、夏暑い、少し狭いなどの不満が出始め、借りるより買った方がよいと考えたという。２人とも、20代半ばの若さだが、フィンランド政府は住まいの安全を進めるために40歳以下で最初の家を買うことを奨励していて、家購入の敷居は日本よりずっと低い。

最低10％の頭金が必要なので、５％ずつ折半。親がしていた、若い人が初めて住居購入するときのための積立貯金と、貯めておいた祖父の遺産がそれぞれの主な出資源となった。銀行からの借金やローンに保証人は必要ない。90年代までは保証人制度があったが、不況のために払いきれず自己破産する人が続出した。その苦い経験から、保証人制度は廃止された。日本には保証会社があるようだが、そうしたものも必要ない。また、日本では事実婚の場合、住宅ローンを連名で組むことができないが、そうした障壁もない。

住宅ローンの金利は低く、最近まで約０・３〜０・４％だった。ただし２０２２年から上昇するようだ。さまざまな理由で返済がむずかしくなったときは、しばらく利息だけ払うシステムもある。フィンランドで不動産売買の手続きは、とてもシンプル。前もって銀行と相談する必要はあるが、売買契約そのものは銀行に行って30分程度ですむ。持ち家であっても人生の状況に応じて気軽に住み替え、引っ越すのは、売買が簡単という理由があるだろう。ただし、購入後２年以内に家を売ると不動産税が高くなる。

若者住宅同盟という組織があり、30歳以下の若い人の自立と賃貸・購入による住居の取得をサポートしている。24の若者住宅協会と、それをまとめる国の組織から成る同盟で、民間と自治体の賃貸住宅、学生のための賃貸住宅、シェアハウスなどの紹介、住居購買を考える人のための助言、契約の結び方、リスク、生活費からの住居費の確保の仕方、就業、国民年金機構からの住宅手当や生活保護などについて情報や助言を与え、住まいの貧困を避けるためのサポートを行っている。そのホームページはフィンランド語、英語、アラビア語、ロシア語と多言語だ。つけ加えると、賃貸住宅を借りるのも日本よりずっと楽だ。保証人は必要ない。１月分の敷金を払うが、退去するときに返してもらえる。

ただし最近若い人の持ち家購入は減少傾向にあるという。国立統計センターによる２００８年と２０１８年の比較では、25歳から29歳で自分の持ち家に住む人は、約38％から約28％に減っている。しかし、20代後半で28％というのは決して少なくない割合だろう。２０１８年に、集合住宅を最初の持ち家として購入した人の平均年齢は28・８歳。最初に購入するのは集合住宅が多く、その66％はヘルシンキなど人口の多い都市の住宅だという。賃貸か持ち家かは意見の分かれるところだが、長期的な安全性は持ち家の方が高い。

日本の場合、総務省統計局による２００８年の統計で、持ち家世帯率は家計主の年齢が25〜29歳の場合11・５％である。住宅の購入は一生に一度の買い物で、住宅ローンに縛られ返済に一生をかけることが多い。家は気軽に売買するものではなく、特定の地域と人間関係に組み込まれるものでもある。

息子たちが買ったのはテラスハウスと呼ばれるタイプの家で、庭つきで数軒がつながっている。日本の長屋のような造りだが、フィンランドの住宅の質は高い。がっちりして隙間風や結露はなく、電動の換気口が各部屋についていて調節でき、換気のために窓を開ける必要もない。また、２０００年代からは電気に加え地熱の利用が一般化している。家の庭や集合住宅の共通スペースを深く掘り、そこから地熱をひくシステムだ。太陽熱のエネルギー供給は夏だけだが、地熱は1年を通して使え、継続的に使うと電気より安い。

家を買ってから結婚することも

日本では、結婚してから家を買うのが普通だが、人生はどういう順序で生きてもいいのだ。私の知人に、２０１８年に結婚し２週間イタリアへ新婚旅行に行った人がいる。「２人の子どもと3匹の犬がいて家も車もあるが、結婚だけがまだだった」と笑っていた。学生時代から20年以上人生をともにした後、結婚。子どもたちも夫の母も、大喜びだったという。２週間の旅行を強く勧めてくれたのは、夫の母。子どもは見るから、心配しないで楽しんでおいでと背中を押されたそうだ。

私は、息子がヘテロセクシュアルであって欲しいと思っていたわけではなく、自分が誰なのかは自分で見つけ、自分が思うように生きていって欲しいと思っていた。息子がまだ小さいとき、夫に「大きくなって、ホモセクシュアルであってもいい」と言ったことがあった。夫は少し驚いたようで、「そういうことは考えたことがなかった」と言った。そんな話をしたのは、当時、同性の関係や同性婚について盛んに議論されていたからだ。多くの議論を経て、同性のパートナー登録制度が発効したのは２００２年。パートナー登録制度は、同性の２人が役所でパートナーとして登録し、関係を公式なものにする制度だ。それによって互いの財産や相続に関しても、異性婚と同じ権利を持つようになった。その後、２０１４年に同性婚が国会で承認されたが、保守派の反対があり、同性婚を認める婚姻法の発効は２０１７年になった。それ以前にパートナー登録をしていたカップルは、それを保持してもよいが、新しいパートナー登録は廃止された。

２０１７年の婚姻法改正では、婚約の規定も変わった。それまで、「結婚することに合意した女性と男性は、婚約したものとする」だった規定は、「結婚することに合意した2人は、婚約したものとする」になった。結婚も婚約も異性間か同性間かによる差別がなくなったことになる。また、つけ加えると相続権や銀行でローンを組む権利など、事実婚にも法律婚と同じ法的権利がある。事実婚には相互の扶養義務はないが、異性か同性か、事実婚か法律婚かによって権利に関しては、異なる扱いを受けない制度といえる。

ただ、子どもを持つことに関しては産むのは女性なので、ホモセクシュアルのカップルよりレスビアンのカップルの方が容易だ。フィンランドでは80年代頃からレスビアンのカップルが増え、生殖補助医療などによって子どもを持ち、母が2人いる新しい家族の形として広がっていった。現在は、独り身の女性も生殖補助医療によって子どもを持つことができる。パートナーと、または1人で子どもを持つホモセクシュアルの男性もいるが、少数に止《とど》まる。

20歳前後で親元を離れる

フィンランドでは、人間関係としてパートナーが中心で親子関係より優先される。子どもにとって、それは親から自立し、親の生活圏を離れていく過程になる。成人年齢は１９６９年に21歳から20歳に、１９７６年に18歳に下げられた。18歳で成人すると、働いたり国からの財政的な支援を受けて大学や職業学校に通ったりして、20歳前後で親元を離れていくことが多い。まだ若く経験も少ないので、必要なときはもちろんサポートするが、子どもの生き方を尊重して子どもへの干渉はとても少ない。

個人差はあるが、私の経験では13～14歳頃に交際を始めるケースが多いようだ。同じクラス、同じ学校、共通の友達を通じて知りあったなど。高校時代、息子の友達の間では「つき合って今日で１ヶ月」、「３ヶ月一緒の記念日」などフェイスブックに載せたり、「いいね」をもらったりしていた。短く終わるケースも多い一方、16～17歳頃から交際している相手と、その後数十年一緒というカップルは日本よりずっと多いと感じる。

息子が交際している相手とは、家に遊びに来たときに顔を合わせたりして、少しずつ知りあっていった。親としては、交際していてもいなくても心配だった。交際していれば、相手を傷つけたり傷つけられたりすることがないようにと願う。していなければ、良いパートナーを見つけて生きていくことはできるだろうかと余計な心配をしてしまう。１人で生きていくには、人生は辛すぎる。私は、パートナーとともに生きていく人生がいいと思っている。息子の交際について心配なこともあったが、フィンランドの学校が行う人間関係やセクシュアリティ、交際相手との対等性、２人で責任を持つ避妊など幅広い性教育を信頼していた。それは、思春期の子どもを持つ親として本当にありがたかった。

　息子の許可を得て、書きたいことがある。高校のときから交際し、事実婚をしていたMのことだ。小さいときから活発で、運動が大好きな少女だった。陸上競技のスポーツクラブに所属して、ヨーロッパ選手権大会に何度も出場。フィンランドの学校に部活はなく、趣味の活動は地元のスポーツクラブで行う。スポーツ活動があったため、高校は5年かけて卒業した。息子は高校卒業後、約1年の兵役を経て応用科学大学に入学。大学のある市に引っ越し、小さな部屋を借りて住んだ。Mは外科医を志して、同じ市の大学の医学部を受験し、一発で合格。２人は新しい住まいを借りて同居したが、1年後に別れた。２人が別れたことは、双方の親ともに悲しんだ。

　Mはその後、スウェーデンの大学の医学部に留学。留学中の街で、交通事故で亡くなった。25歳だった。私は悼む気持ちを伝えたくてお母さんにメールを送ったが、むしろ慰められてしまった。「あの子は明確な目的を持って生き、たくさんの夢を実現した」と。警察の調べが終わったらスウェーデンで火葬し家に帰る、ときが来たら好きだった自然に帰すとも記されていた。

フィンランド同様、スウェーデンでは警察が事故や事件についてネット上に短い情報を公表する。名前は出さないが、日にち、場所、年齢などの記述から当事者を推測することができる。夫は、折にふれてそれを追っていたようだ。

少し踏み込んでつけ加えると、Mには同性のパートナーがいた。フィンランドの中学の保健の教科書は、「自分のジェンダーとセクシュアリティを生涯固定してしまう必要はない（中略）。さまざまな人生の過程において（中略）揺れ動いて構わない」と教えている。[*1] 世界を広げて、生き生きと生きていた彼女の早すぎる死はあまりにも痛ましい。事故から1年と少したった春の初め、フェイスブックに「Mを自然に帰した」という記載があった。子どものときから親しんでいた、大好きな森に帰ったと。

中学生、アルバイトではなく仕事をする

初めて息子が働いたのは、中学3年の夏。市立図書館での「夏の仕事」だった。学校は6月から8月半ばまで2ヶ月半の夏休みで、大人も1、2ヶ月の夏休みを取る人が多い。場合によっては、大人の仕事の穴埋めをしつつ仕事を体験、収入を得るのが「夏の仕事」だ。フィンランドにアルバイトという概念はなく、すべて「仕事」と呼ばれる。「夏の仕事」の募集は3月

頃には始まり、オンライン上の募集を探す、自分で会社に電話する、訪問する、自治体の募集に応募する、親の友人知人に仕事を紹介してもらうなどする。14、5歳から始めることができ、よく見かけるのはアイスクリームスタンドやスーパーで働く高校生だ。期間はそれぞれ異なるが、夏休み中ずっと働くわけではなく、1ヶ月程度は夏休みとして過ごすケースが多いようだ。

夏の仕事で公正な条件で働くことやワークルールを学び、人生最初の税金カードをもらって、労働市場に組み入れられていくことになる。税金カードが郵送されてくるが、デジタル化された税務署のホームページに自分のアカウントも持てる。17歳以降は、夏の仕事で得た収入は将来の年金に計算される。フィンランドは生涯学び続けるという考えが強く、学生と社会人の二分化はない。卒業し就職すると初めて「社会に出る」ことにならないのは、こうした制度にも感じられる。高校生のアルバイトは禁止されていることが多い日本とは、とても異なる制度だ。

就職時期は自分で決める

多くのOECD諸国同様、フィンランドには高校卒業後すぐ大学進学、大学卒業後すぐ就職という制度がない。高校と職業学校は6月初め頃に卒業だが、卒業後はしばらく勉学を離れて旅行するなどは普通だ。しかし、以前は大学に入学する年齢が26歳以上と高かったことへの批判から、あまり間をおかずに入学することが奨励されるようになり、現在、大学入学の平均年齢は22~23歳である。

日本では大学3年頃から就職活動を始め、4年の3月に一斉卒業、4月に一斉就職という慣行が続いてきた。日本の就職という概念は、集団就職的な意味合いが強い。個人の生き方より国の経済を優先させるシステムで、22~23歳というとても若い人たちが、就職できないと人生の落伍《らくご》者《しゃ》であるかのように思わされてきた。

フィンランドの高校や大学は就職の窓口を持たないので、基本的に仕事は自分で探す。求人のオンラインサイトがいくつかあり、場所と職種でサーチする。卒業してから仕事につく、という順序が決まっているわけでもない。「仕事があるから、修士論文を書く時間がない」というのは、よく聞くセリフだ。また、初めから正社員として働くよりも、いくつかの仕事や職場を経て自分にあった仕事を見つけ、正規のポジションを得ていくことが多い。公募があれば応募して、より良い条件の仕事に移っていくのは普通だ。そこには、若いときから一つの職場に縛られず流動性が高いというメリットがある。

2つの労働契約

また、労働者の権利が守られていることは、フィンランドの労働市場の特徴といえる。息子の場合は、フレックスタイムで月曜から金曜までの週37・5時間労働の契約をしている。1日

8時間、週40時間労働がスタンダードだが、昼休みの30分を引いた７・５時間が1日の実働時間になる。午前と午後にコーヒータイムもあるが、それは引かれない。自分が働いた時間数は、毎日オンラインで記入し「労働時間バンク」に記録。７・５時間に満たない日、残業になる日もあるが、年間を通して±１００時間内にあることが目安だ。超過労働があったときは、その分の有給休暇を取ることができ、「労働時間バンク」に溜《た》まった時間に使用期限はないという。

　年休は1ヶ月について２・５日という考え方で、1年で30日になる。1週間を６日と計算して５週間の年休になり、夏休み4週間、冬休み1週間という制度だという。また風邪をひいて数日会社を休んだ場合などは、病気休暇をとる。それが年休から引かれることはない。

　息子は「コレクティブ・レイバー契約」と「労働契約」の２つを結んでいる。コレクティブ・レイバー契約は大きな業種の枠組みでの契約で、雇用者の組合連合と被雇用者の組合連合との間のものになる。たとえば「工業ユニオン」と「テクノロジー・インダストリー」の間の契約で、毎年の賃金の値上げ交渉は大きな関心事だ。フィンランドで賃金の上昇率は、毎年最低１・８％と決められており、２０２２年1月の交渉で息子の業種では２％だった。

　もう1つの「労働契約」は個人と会社の間の契約で、内容は「コレクティブ・レイバー契約」に基づいたものになる。自分の契約に大きな組合の裏づけがあることになり、労働をより安全性の高いものにする仕組みだ。

賃上げの交渉は、必ずしも合意に至らずストライキになることもある。電車、バス、飛行機、また看護師、保育士などのストライキもあるが、それは労働者の権利であり、利用者は不便を受け入れることになる。他人のストライキの権利は、必要な場合は自分のストライキの権利を保障するものでもあるので、不便はあっても受容度と理解度が高い。

労働とケアはセット

労働が労働に対するケアとセットになっていることは、フィンランドの特徴といえる。「労働のウェルビーイング」や「労働の衛生」という概念があり、社会保健省（Sosiaali- ja terveysministeriö）をはじめ国立健康福祉研究所（Terveyden ja hyvinvoinnin laitos）、労働衛生研究所（Työterveyslaitos）などの政府機関があって研究や支援を行い、対策を立てている。

働くことと働く人に対するケアはセットなので、単身赴任という働き方はフィンランドにはない。息子は2ヶ月ドイツに行くことになるかもしれないと、顔を曇らせていたことがあった。打診されて、あまり行きたくないと伝えたが、まだ最終的に決まっていないという。婚約者の勤める会社はドイツに支社があるので、1年以上だったら、会社に依頼して彼女の勤務先をドイツに変えてもらい一緒に行くという手もあるが、2ヶ月は短すぎる。結局、行かなくてよいことになってホッとしていた。

日本では、勤務先が一方的に長期間の単身赴任を命じる。単身赴任には労働に対するケアやワークライフバランスへの配慮がなく、人権侵害でもある。また単身赴任ではなくても、学校の先生が週末も返上しての部活の指導など、個人や家族の生活を顧みない働き方が蔓延している。労働に対するケアとワークライフバランスの改善を進める必要があるだろう。

煙突掃除をするにも学位がある

フィンランドでは、どんな職業であっても学位が求められる。たとえば、清掃業は「清潔と不動産サービス業」のように分類されていて、職業学校で学位をとる。寒いときは、暖炉がよく使われる。我が家でも毎年、秋の初めに煙突掃除をしてもらうが、その仕事も職業学校で「家のエンジニアリング」の学位が必要だ。ウェイターやウェイトレスも「ホテル・レストラン業」の学位をとる必要がある。専門的な知識、技能が重視されるのが特徴だ。

日本にもさまざまな資格や検定があり国家資格と民間資格に分けられているが、どちらも有料。フィンランドでは無料であり、学位として国の教育システムの一部であることも特徴といえるだろう。

「個人事業主の医者」という働き方

フィンランドでは美容院で働く美容師、私立のクリニックや病院で働く医師や歯科医は、雇用関係ではなく個人事業主として働いていることが多い。美容師は、自分が担当した顧客が払う料金を直接顧客から得る。店の賃貸費、電気代、水道代などの経費を分担して、経営者に払うシステムだ。１９１７年に設立された「フィンランド頭髪事業主」という同業者組織があり、美容師はそうした組織の会員になって労働者として雇用上の権利を守っている。

フィンランドは国民皆保険制度で、医療機関には公立と私立がある。

公立の健康センターや病院に勤務する医師は、個人事業者ではなく雇用関係にあるが、私立の場合は個人事業主として勤務していることが多い。特に総合医療医師ではなく専門医で多く、その約65%は私立のクリニックや病院に勤務しているといわれる。特に多いのは眼科医の85%、耳鼻咽喉科、産婦人科の80%など。日本では自宅での開業医が多いが、フィンランドにはほとんどなく、かかりつけの医者というシステムはない。個人事業主として開業するのではなく、私立病院で個人事業主として勤務するのが普通だ。医師のためには医師組合があり、労働上の諸権利を守っている。

こうした個人事業主としての働き方には、英語圏との違いがある。ケン・ローチ監督の映画『家族を想うとき』（２０１９年）は、ギグ・エコノミーで働く白人の配達ドライバー一家を描いて話題になった。ギグ・エコノミーは、被雇用者としてではなく個人事業主として単発で仕事を請け負う働き方だ。また、２０２０年5月にアメリカ・カリフォルニア州がライドシェアの大手であるウーバーテクノロジーズ社とリフト社を提訴したことが報じられた。両社ともに、ギグワーカーの運転手を使っている。「本来は雇用関係にあり従業員として扱うべき労働者を独立した個人事業主に分類することで、最低賃金の保障や残業代の支払い、失業保険、有給の病気休暇などの負担を回避しようと」していることを違法としての提訴だった。[*2]

「基本的な労働者保護」「ヘルスケアやその他の便益」などの労働者の権利保障は、フィンランドが常に配慮していることであり、個人事業主に分類することで回避されるものではない。アメリカでは労働組合が弱く、国民皆保険制度がなく、医療費が非常に高く、お金がないので医者にかかれない人も多い。

フィンランドで個人事業主は、必ずしも社会的弱者とみなされていない。個人事業主の事業は、特許登録庁に登録されビジネスＩＤを得て法人になる。法人は、会社や自治体、市民組織など「人工的」な人。それは、血と肉を持つ人間である「自然人」と対比され、どちらもさまざまな権利と義務を持つ。法人は、さらに公的と私的なものの2つに分けられる。前者は国家、地方自治体、教会の教区など、後者は会社や個人事業主の事業、協同組合、市民団体、財団などになる。そうした位置づけをされ、法人としての権利と義務を持つので、個人事業主に分類されることで奪われる権利はない。「フィンランドの個人事業者」という同業者同盟があり、事業をやめた場合の失業保険や年金などの制度も持っている。

フィンランドではワークライフバランスの良さが重視されるので、より平等で柔軟な働き方や、多様な家族のあり方を目指す先に選択肢の一つとして個人事業主がある。世界経済の行方が不透明な現在、小中学校では起業も奨励している。もちろん、現在の世界で新自由主義から逃れることはむずかしいが、労働に関する制度は英語圏とはとても異なる。

フィンランドで、デパートに店員が少ない理由

日本では、主婦がパートで働くのは一般的だ。１９８５年に国民年金の「第３号被保険者制度」が作られ、それまでの第１号（自営業者や学生）と第２号（会社員や公務員）に追加された。第３号は、第２号保険者に扶養されている配偶者のための年金制度で、年間収入が１０３万円以下、または１５０万円以下などの場合、保険料を払わなくても年金を受給できるようになった。非正規の低賃金労働に従事することによって、夫の扶養で生きることが公的な制度になったのだ。

フィンランドでは、従来パートタイムという働き方はメジャーではなかった。レストランやバーなどの飲食業、大学や教育機関の非常勤講師などにパートタイムの働き方はある。また病

気の場合、時間を短縮して働くこともある。しかし、フルタイムで働くか、まったく働かないかのどちらかが労働のモデルになってきており、パートタイムという働き方は働く側の権利が弱く、ウェルビーイングを考えた仕事の形態ではないととらえられていた。しかし、最近は育児休暇中、勤務時間を減らしパートタイムにすることによって、育児負担を平等化し、より良いワークライフバランスと女性のキャリアを進めることは肯定的にとらえられるようになってきている。また、高齢化によって今後働く期間が長くなる。高齢化した家族のケアをしたいと思う人もいる。政府の報告書「社会的、経済的、地球環境的に持続可能なフィンランド」（2019年）が、働き方の柔軟性を高める多様な働き方の一つとして、パートタイムワークをあげており、大きな変化を感じさせる。

もう一つ派遣という働き方もあるが、フィンランドではそれについても否定的な見方が強い。派遣会社が現れ始めたのは、2000年代である。息子は高校時代、派遣会社の紹介によりコンビニでアルバイトをしていたことがあり、特に若い人の一時的な働き方としてありうるだろうが、働く人の権利とウェルビーイングを重視する立場から、フィンランドでは派遣という働き方には否定的だ。

つまり、個人事業主という働き方には肯定的だが、パートと派遣には否定的な傾向があるといえる。フィンランドは商店やデパートに店員がとても少なく、店員が多い日本と対照的だ。

一人ひとりに支払わなければならない福利厚生などの経費が大きいので、多数の店員を置くことができない。被雇用者の権利を重視する結果、店員が少なく顧客への対応に時間がかかる、サービスが悪いということになる。つまり、「お客様は神様」ではなく、従業員の労働の権利の方を大事にするシステムである。

進む労働時間の短縮

フィンランドは朝が早い。スーパーは、朝6時か7時には開く。会社やオフィスは、8時から4時勤務が多い。電車やバス、道路は3時半頃には混み始め、ラッシュアワーが始まる。基本的には、居住する自治体か近隣の自治体で働くので勤務先は近い。それは、家の売買が簡単で気軽に引っ越せるという理由もあるだろう。仕事が終わると子どもを保育園に迎えに行ったり、家で軽く食事したり、ジョギングに行ったり、趣味の活動をしたりの時間になる。もちろん自営業や三交代勤務などさまざまな職業と働き方があるが、こうした働き方が一般的だ。

しかし、さらに労働時間を減らそうとする動きがある。２０２０年8月に、サンナ・マリン首相は社民党の政策として3年以内に給料を下げることなく1日6時間、週4日労働を具体化することを提言した。「1日8時間労働が最終的な形だろうか。家族、近親者、趣味、教養のために使う時間がもっとあっていい」と述べている。[*3] 労働時間の短縮は、社民党が歴史的に求めてきたことである。１９００年代初めの労働運動は、1日8時間労働を要求した。工場での労働は1日16時間に及ぶこともあったが、休暇は特に定められていなかった。１９１７年に、国会が1日8時間労働を承認したのは歴史的な出来事だ。当時は週6日の労働で、週48時間労働だった。

労働時間が週40時間に減るのは、１９６６年に発効した法律による。それによって、60年代末までに週5日制が浸透した。給料は下がらず、かえって上昇したという。また、同時に休暇も増やしていった。１９３９年の年休法によって、賃金労働者は2週間の年次休暇を得るようになったが、それが4週間に延長されたのは、60年代初めだ。60年代の労働運動は、労働時間の短縮と余暇の増加をめざした。こうした運動を経て、過去１００年間に労働時間は大きく短縮されてきた。しかし、現在の1日8時間労働は１９１７年、週40時間労働は１９６６年以降のものであり、長きにわたって変わっていないことになる。

90年代には、いくつかの企業と自治体で1日6時間労働の実験がなされた。労働時間短縮は労働者が集中して仕事をするので効率性が高まること、アイドリングが減ること、ストレスを減らし疲労回復が早まることがわかった。生産性も上がるので給料を下げる必要はない。しかし、反対意見もあったことなどから定着しなかった。

こうした文脈で、最近のマリン首相の提言は90年代の議論の再開と見ることもできる。欧州連合の中でもフィンランドの労働時間はすでに短いので、マリン首相の発言は、国際的な競争力と生産性向上を重視する立場から批判された。また、マリン首相の考えは、2016年に発効した競争力協定と衝突するものでもある。競争力協定は、マリン内閣の前のユハ・シピラ内閣（2015〜2019年）が結んだものだ。新自由主義的で保守的な路線のシピラ内閣による競争力協定は、フィンランドの経済的競争力の増強を目的とするもので、部門を超えて労働時間延長、賃金凍結、夏の休暇手当削減などを含んでいた。ただし、フィンランドでは長時間労働に対する忌避感が強い。当初の案で、労働時間延長は1日30分とされていたが、交渉の結果週に30分に短縮された。延長とは呼べないような短さである。

労働時間短縮は、フィンランドだけの志向ではなく、2021年にはアイスランドでのケースが報道されており、より広く北欧の志向といえるかもしれない。しかし、そうした政策をとるフィンランドにも仕事のストレスや過労はある。2019年の労働衛生研究所の報告によると、女性の17％、男性の14％が精神的な重圧を経験、全体の4分の1が過労を経験したという。

できるだけ働きたくない、わけではない

休暇と余暇も、労働と同様大切にされる。年休は、最初3〜4週間で始まることが多いが、その日数は勤務期間に応じて長くなり、2ヶ月以上の夏休みを過ごす人もいる。学校の夏休み

は2ヶ月半。それに加えて、学校には秋休みと2月のスキー休みが1週間ずつあるので、子どもと旅行を楽しむ人も多い。

休むことは、時間だけではなく空間の側面も持つ。日常から離れてサマーハウスやヨットで過ごす、海外旅行するなどが普通だ。サマーハウスやヨットを持つのはお金持ちというわけではなく、普通の人も持っている。ヨットには居室や寝室、キッチン、トイレなどがあって寝泊まりできる。

労働者階級にもサマーハウスを持てるようにしたのが、英語でアロットメントと呼ばれるシステムだ。フィンランドに導入されたのは１９１０年代。中心から少し離れた都市部の一画や島の２５０〜５００平米程の土地に小さな建物が一軒建てられていて、庭に花壇や菜園を作って楽しむ。１９９０年代になると、それが再発見されて人気になった。土地は自治体が所有し、年ごとの契約で借りる場合と購入する場合がある。

休暇は、経済的な余裕のある人だけのものではない。常に弱者に対する配慮があり、シングルマザーの家庭や失業で収入の少ない家庭、障がい児のいる家庭などに、自治体や市民組織が宿泊施設での休暇を無償または低価で提供している。

近く改正される予定の年休法では、より柔軟な年休のあり方が可能になる。「休暇バンク」を作って、職場が変わっても前の職場で持っていた休暇の権利を移せるなど、短期契約で働く人にとっても公平な休暇のあり方が規定される予定だ。

　勤務時間が短い、休暇が長いというと、労働からの自由を求め働くことを厭《いと》っているように聞こえるかもしれないが、勤勉は歴史的に重要で高く評価されてきた。そこには、仕事に対して誠実で誠意を持つことも含まれ、ルター派キリスト教の価値観でもある。ルター派については、第6章で見たい。現在の勤勉さは、労働時間の長さではなく、デジタル化によって効率化して働く勤勉さに変わっているといえるかもしれない。

労働は義務ではない

　こうした労働のあり方の違いには、慣習に加えて法的な違いもある。日本国憲法第27条第1項は、「すべて国民は、勤労の権利を有し、義務を負う」としている。労働ではなく、勤労である。それは「保護する子女に普通教育を受けさせる義務」と「納税の義務」とともに、「国民の三大義務」の一つとされている。

　フィンランドで労働は義務ではない。フィンランド憲法が市民の義務としているのは、納税義務と国防義務である。国防義務は男性の場合は兵役、市民にとっては緊急時に支援する義務だ。兵役は、18歳から29歳までに果たすが、兵役を拒否し、ソーシャルワークなどを行うシビルサービスに変えることもできる。緊急時に支援する義務には、事故を見たら警察に通報することなども含まれる。

また、つけ加えると憲法にあるのは「すべての人が無償で教育を受ける権利」（第16条）であり、学習の義務に関しては「学習義務法」という別の法律に規定されている。

同じ生き方をしなくていい社会

地位や職位に対する執着がないことも、フィンランドでの働き方の特徴だと思う。現在は68歳が最終的なリタイアの年齢で再就職というシステムはなく、天下りもない。いつまでも働き続けるより、仕事を離れて自由時間を楽しみたい、違う人生を始めたいという希望の方が強い。また、キャリアの途中でまったく異なる領域に鞍替《くらが》えすることも珍しくない。日本では70代、80代になっても高い地位に執着する人が多いこととは対照的だ。

２つ例をあげると、アンネ・ブルニラ（１９５７－）がいる。フィンランド銀行、財務省、フィンランド林業同盟、国営電力会社フォータムなどのトップのポジションを歴任した。２０１３年に56歳でフォータムからリタイアしたが、同年「フィンランドで最も影響力のある女性」に選ばれている。その後は、フィンランド文化財団やアールト大学、国立歌劇場など多くの文化・教育組織で委員などを務めた。リタイア後は、若いときから興味を持っていたチベット仏教に傾倒。人生の意味や幸福については、チベット仏教から示唆を得ているという。

1つの職場に定年までいるのではなく、職場を変えていく働き方もさることながら、40歳で博士号を取るまでの学業と仕事を交錯させたキャリアのあり方も興味深い。2020年に出版した『誰が信じただろう ― 回想』では、パートナーから受けていた激しい暴力、生後すぐのウイルス性脳炎罹患《りかん》による息子の障がいなども明かして衝撃を与えた。1984年出産、1985年DVを理由とするパートナーの禁固刑と精神病の治療、1987年パートナーの自死、1989年リセンシエート（修士と博士の間の学位）取得、1992年フィンランド銀行入行、1994年フィンランド銀行頭取、1997年現在のアールト大学で博士号を取得、さらに2013年にリタイアしたあとの人生航路を語った。財政政策に関する論文で博士号を取ったのは、フィンランド銀行頭取時代。論文を書くために約1年銀行の研究部門に所属し、頭取の仕事は他の人が代行した。こうしたシステムがあり、自分の人生を生きていった。

もう一つの例は、フィンランド人党（Perussuomalaiset）という右翼政党の前党首で国会議員のユッシ・ハッラアホ（1971－）だ。2021年6月、2ヶ月後に予定されている党首選挙には出ず、党首の地位を退くと発表。8月には新党首が選出された。支持を伸ばしてきた党であり、ハッラアホは強い影響力を持つ人物だが、党首を務めたのは1期4年間のみだ。会見では「長々とトップに居座ることにはケッコネン・シンドロームの危険がある。自分は必要とされていて、他に替えはないと思い込んでしまう」と語った。[*4] ケッコネンというのは、ウルホ・ケッコネン（１９００－１９８６）のことで、１９５６年から81年の25年間フィンランドの大統領を務め、認知症の症状が出ているのに職位に執着した人物である。ハッラアホは、退任の理由を明確にしていない。２０１４〜２０１９年、ブリュッセルで欧州連合議会議員を務めた経験もあり、他の野心を持っている可能性もあるが、トップの座に執着せず離れた例の一つである。

その経歴だが、兵役を避けてシビルサービスにつき、１９９４年にウェイターの学位を取得。その後、ヘルシンキ大学でロシア語を学び２０００年に修士号を、２００６年に古代教会スラブ語の文法史についての論文で博士号を取得。５児の父でもある。

こうした生き方を見ていると、職位に対する執着のなさに加えて、人がそれぞれの時間を生きられる社会という感を強くする。人と同じように生きなければならないのではなく、自分の人生を生きていける社会である。

社会の動きに敏感な行政

「ジェンダー平等アクションプラン２０２０－２０２３」（２０２１年）で、政府は労働についてさまざまな政策を明らかにしている。労働人口の高齢化、少子化があり、労働力不足でもある。依然として、男女間で収入の差はあり「女性の1ユーロは84セント」といわれる。同じ仕事や業種であっても、平均すると女性の賃金は男性の84%。それは、ノルウェーやデンマーク、スウェーデンなど90%を超える他の北欧諸国に比べて低い。女性はエッセンシャルワークなど低賃金の領域での仕事が多いこと、時間短縮で働く人がいること、子どもが生まれたとき育児休暇をとるのは女性が多く、その分収入が減ることなどが理由になっている。根拠のない給料の差と差別を減らす。政府は、法律によって給料のシステムを透明化、男女間の差に介入し是正するなどの案をあげている。

政府は、コロナ禍の間もその後も平等重視の原則を進めると明言している。コロナ禍は、健康、ウェルビーイング、ケア、労働、安全などの点から平等の原則に挑戦を挑むものだった。死亡率は男性の方が高く、当初休職になるのは若い女性に多かった。24時間のケア労働に従事する人のうち70%は女性。ケア労働者は遠隔労働ができないため、感染の危険性が高い。幼い子どものいる家庭でテレワークと家族生活の調整をするには、女性への負担が大きい。家庭内の問題で警察の出動が増えた。家庭内暴力の被害者は、女性と性的マイノリティの若者に多い。長期的、短期的なジェンダーへの影響を考慮することが重要で、コロナによってジェンダー平等への努力が止まってはならない。ジェンダー平等と人権強化は、むしろ重要になるとしている。こうした政府の言葉に嘘はないこと、信頼できることは幸いだ。

ジェンダー平等には、性的マイノリティに対する平等も含まれる、さらにより広い平等を目指してインターセクショナリティという概念を使って、「ジェンダー平等アクションプラン2020－2023」で政府は次のように説明している。

「ジェンダーに加えて社会経済的なバックグラウンド、家族のバックグラウンド、民族的出自、居住地、教育、年齢、障がい、性的指向、ジェンダーアイデンティティなど多様な要素が、個人が社会でどう位置づけられるかに影響する。インターセクショナリティは社会にはびこる、重なりあい交差する差別のメカニズムを考察するための手段である」[*5]

インターセクショナリティは日本で「交差性」と訳されている。それを政策に引きつけて「交差する差別のメカニズムを考察するための手段」とし、特に社会経済的出自、年齢、民族的出自を政策上の考慮に入れるとしていることが特徴といえる。

「ジェンダー平等アクションプラン2020－2023」には「シス（cis）」という言葉も使われている。シスは、出生時に与えられた性別と自分が認識している性別が一致している人を指す。政府が社会の動きに敏感で新しい概念を取り入れて、政策を立てていることがわかる。しかし、それが必ずしも充分ではないことも認識していて「考察は男女として登録されるジェンダーに基づいていて、ジェンダーの多様性が狭い」「統計と研究データの限界の中で家族とジェンダーの多様性を考察している」[*6]などと自省的なコメントもある。インターセクショナリティやシスといった概念を使うのは、従来男女間の平等のみに集中してきたという反省があるためだ。

こうした政策のあり方は、政府の報告書「社会的、経済的、地球環境的に持続可能なフィンランド」（２０１９年）でも、約束されている。「政府が学び続けることの約束」という項目があり、「政府と行政は、学び続けることを約束する。絶え間ない変化の中にあって（中略）人々を利する政策を行うために知識を求め、試行を続ける」としている。[*7] 学び続け、人々を利するための行政。フィンランドは政府に対する信頼度が高い。それには、こうした政府のスタンスも影響していると思われる。

病気になっても安心な手当がある

ここからは働けない場合の救済制度として病気休暇手当と失業手当を手短に見たい。フィンランドにも生活保護はあるが、他の諸手当をまず受け、それでも生活が一定の水準に満たない場合に申請するシステムになっている。

病気やけがが、過労で仕事ができなくなった場合は、医師の証明書を得て、それまでの収入に応じた病気休暇手当を受けることができる。最初の９日間（土日を除く）は、自己負担だが、最長３００日（土日を除く）までの約1年間支払われる。支払うのは国民年金機構だ。

場合によっては、失業手当を５００日間受けた後、さらに病気休暇手当を３００日間受けることもできる。医師の診断書が必要で、病気を装ってこうした手当を受給することを防ぐため審査があるが、必要な場合は長期にわたる救済の制度がある。「労働不能」という概念があって、一時的であっても病気で仕事ができなくなるのは労働能力を失い、労働不能になることと考える。病気休暇手当は、その間の生活保障として支払われるものだ。労働不能が長期化した場合には、18歳から64歳の人に対して「労働不能年金」という制度がある。

また、「部分的病気休暇手当」という制度もある。「労働不能」といっても、必ずしも完全に不能なわけではなく時間を短縮すれば働ける人もいる。「部分的病気休暇手当」は、勤務時間を減らしてパートタイムにし、フルタイムで仕事に戻るまでを支援するものだ。医師とも相談し、雇用者と被雇用者双方の合意によって労働時間を40〜60％減らす。ただし、健康を害し回復を妨げるようなものであってはならない。

「部分的病気休暇手当」の期間は、日曜を除いて最低12日間、最高１２０日間だ。ただし50日間の延長期間もあるので、必要な場合は延長できる。１２０日間の「部分的病気休暇手当」を受けて仕事に戻り、最低30日間継続した勤務をした後、さらに50日間の「部分的病気休暇手当」に戻ることも可能だ。また、「病気休暇手当」「部分的病気休暇手当」どちらの場合も、仕事を休み続けるだけではなく理学療法などによるリハビリを受けることができ、その場合「リハビリ手当」に変えることもできる。

「部分的病気休暇手当」は「病気休暇手当」とは別の制度なので、最長３００日の「病気休暇手当」を受給した後、さらに「部分的病気休暇手当」を１２０日間受給することも可能だ。

ベーシックインカムは失業手当の代わりになるか

フィンランドにはエンジニア同盟、教員同盟、教授同盟、建築家同盟、航空業同盟、助産師同盟、食品業界同盟、獣医師同盟、薬剤師同盟、俳優同盟、保育園教員同盟など多くの職業組合がある。企業や学校などを横断する労働組合のシステムで、働く人の約70%が所属していて、国際的に見ても所属者が多い。所属すると、失業したときと年金のための費用が給料から差し引かれる。そうした組織に所属していない場合、失業手当と年金は国民年金機構が支払う。

失業手当は18～64歳でフィンランドに在住、求職している失業中の人を対象にする。経済雇用省の下にある雇用サービスに登録して求職活動していること、働く能力と意思があること、フルタイムの仕事を求めて積極的に仕事に応募すること、提供された仕事に応じること、または職業教育のためのクラスに参加することなどが条件になる。

従来は半年以上同じ職場に勤務した場合、失業保険は土日を除く５００日間、それまでの収入に応じた金額が支払われていた。しかし、最近は改正によって受給の期間が短くなり、収入に応じた失業手当は４００日までになっている。職業組合に所属していないなどの理由で収入に応じた失業手当を得られない場合は、国民年金庁が土日を除いて基本日当33・７８ユーロ（約４４００円）を支払う。勤務が３年以下だった場合は、３００日までになる。子どもがいる場合は子ども手当が上乗せされる。子どもの人数によって１日５・３０ユーロから10・０３ユーロ（約７００円から１３００円）である。

受給期間が減っているのは、他の北欧諸国同様、受動的な労働力政策から能動的なものに変わっているからだ。失業手当を受けて働かなくなるのではなく、能動的に仕事を探すこと、職業訓練を受けることが奨励されている。職業訓練のクラスは、さまざまなものが用意されていて受講中は受講手当（日当）を受けられる。外国人にも同様だ。こうした労働市場政策は、フレキシビリティ（柔軟性）とセキュリティ（保障）をつなげて、フレキシキュリティと呼ばれていて、フィンランドでは90年代に導入された。

２０１７年から２０１８年に行われたベーシックインカムの実験は、さまざまな手当や補助を一本化、官僚的な手続きを減らし、代替になるものを模索することを目的にしていた。仕事をしている、失業しているにかかわらず、ランダムに選ばれた２０００人に１ヶ月５６０ユーロ（約７万３０００円）のベーシックインカムを支給。その結果、雇用の上昇には必ずしもつながらなかったが、多くの人の生活に対する満足度が上がり、経済的・身体的なウェルビーイングが増進したという。求職中の人は、ベーシックインカムが保障する基本的な生活レベルに安心感を持ち、仕事探しに集中できた。お役所仕事的な手続きを減らすことも証明された。しかし、導入するためには多くの人が合意できる、公平で経済的に持続可能な金額を設定することなどが課題として残されている。ベーシックインカムはフィンランドの社会保障改革の主流にはならず、労働市場の周縁にいる人に対しては、雇用推進と収入保障のバランスをとる方法が必要とされている。

行政が「やさしい言葉」を使って説明することが義務づけられているのも特徴だ。受けられる手当や支援があるのに知らなかったり、言葉づかいが小むずかしいのでわからなかったりすることがないように、政府機関はホームページでさまざまな情報を「やさしい言葉」で説明している。「やさしい言葉」は、英語でプレイン・ラングエッジ。平易で読みやすい言葉を指し、2000年代に欧州連合で広がった。日本で「やさしい日本語」として知られているのはこれに相当するが、主に災害時など外国人向けの言葉と理解されているようだ。フィンランドではより広く読字障がい、学習障がいのある人なども対象にしている。

コロナ禍によって、フィンランドでは失業手当や生活保護、住宅手当などの申請が増えた。フィンランドで生活保護は、「最後の経済的な支援」と位置づけられている。まず失業手当や住宅手当、給付型奨学金、病気手当、在宅育児手当、公的な養育費などほかの手当を受け、それでも足りない場合に申請する。つまりほかの公助を先に受給して、最後に受けるのが生活保護だ。

日本では生活保護の受給者数は横ばいで、ほとんど増えていない。

厚生労働省は毎月、生活保護の「被保護者調査」を公表。２０２２年３月現在、２０２１年12月までの統計が公表されていて、被保護実人員や被保護世帯の数などが示されている。たとえば、２０２１年10月から12月の被保護実人員数は、対前年同時期と比べると０・６％減、０・５％減、０・５％減。被保護世帯数では、０・３％増、０・５％増、０・４％増と微増しているものの、２０２１年１月からの全体を見ると、被保護実人員と被保護世帯数は微増減にとどまる。

日本で生活保護の受給者が増えない理由はいくつもあって、複数の自民党議員が生活保護バッシングをして、あたかも不正受給が多いかのような言説を広めたことはその一つだ。しかし、実際に不正受給は非常に少ないという。生活保護は制度として存在しても、申請も受給もしにくい雰囲気が作られている。扶養義務が三親等まであり、親、祖父母、孫、曽祖父母、曽孫、おじおば、甥姪にまで扶養できないか照会され、行き来もない親戚にまで生活保護の申請が知られてしまう。さらに申請の窓口では水際作戦が行われ、申請や受給を防ぐ。フィンランドとはあまりにも大きな違いを感じる。

＊1—Kannas, Lasse; Pirjo Orkovaara, et al. eds. 2010. *Navigaattori 3. Olen Tässä Tammi*. P.

＊2—日本経済新聞、「米加州、ウーバーとリフトを提訴　『ギグワーカー』保護」2020.5.6.（https://www.nikkei.com/article/DGXMZO58793250W0A500C2000000/）

＊3—*Iltalehti*. 2020.8.24. Pääministeri Marin vaatii lyhyempää työaikaa: “Yksi tapa jakaa vaurautta on tehtyjen työtuntien vähentäminen siten, ettei palkkataso heikkene”.（https://www.iltalehti.fi/politiikka/a/a247b313-f47f-47f8-8d95-93c922c121c0）

＊4—*Yle*. 2021.6.21. “Jussi Halla-aho jättää PS:n puheenjohtajan tehtävät-Työmies Putkonen: "En avaa tätä enempää, koska alan pillittää", Huhtasaari ei aio ehdolle”.（https://yle.fi/uutiset/3-11991803.）

＊5—Ministry of Social Affairs and Health. *Making Finland a global leader in gender equality: government action plan for gender equality 2020-2023*. Publications of the Ministry of Social Affairs and Health 2021:10. p.12-13.

＊6—同右、p.43.

＊7—Valtioneuvosto. 2019. *Osallistava ja osaava Suomi-sosiaalisesti, taloudellisesti ja ekologisesti kestävä yhteiskunta*（文中では「社会的、経済的、地球環境的に持続可能なフィンランド」と訳）. Valtioneuvoston julkaisuja. 2019:31. p.11.

第2章 デジタル化で効率を上げる

日本と対極のデジタル化政策

「はじめに」でふれたように、フィンランドではデジタル化が進んでいる。国際的に高い評価を受けているが、まだまだ足りないところがあるとし、フィンランド政府は野心的にさらなるデジタル化を進めようとしている。現在、ワーク・ウェルビーイング発達計画を準備中だ。その目的は、２０３０年までにデジタル時代のワークライフ・イノベーションの発展と、ワーク・ウェルビーイングで世界一の国にすること、市民と社会のウェルビーイングを高めること、生産性を上げることなどが目的で、それは必然的にイノベーションと結びつくとしている。

日本には「イノベーション25」という計画があった。「安倍政権（当時）の所信表明演説に盛り込まれた公約の1つであり、２０２５年までを視野に入れた成長に貢献するイノベーションの創造のための長期的戦略指針」と内閣府は説明している。それは、「美しい国」「豊かで希望に溢れる日本の未来」を実現し、「そのための研究開発、社会制度の改革、人材の育成等短期、中長期にわたって取り組むべき政策を示した」ものだという。[*1]

第一次安倍内閣が計画したものだが、この計画と日本のロボット産業については、アメリカ・ミシガン大学教授のジェニファー・ロバートソンによる研究がある。ロバートソンは、イノベーション25が目指したのは未来に向けたイノベーションではないこと、右翼政権による戦前の家制度的な家族やジェンダーのあり方を再生、強化するものであることを明らかにしている。

フィンランドでの移民登録

私はアメリカで結婚し、フィンランドに移転してすぐ警察署と地方登録事務所に届け出た。後者の届け出の項目は生年月日、出生地、住所、氏名、婚姻関係（結婚、非婚、離婚、死別）、国籍、母語、配偶者の名前と生年月日、過去の住所、過去に使っていた姓、子どもがいる場合は、その生年月日、氏名である。

地方登録事務所に届けた情報は、人口登録センターに送られてデジタル化される。こうした登録は、私の名前で行った。夫には生まれたときからの自分の登録があり、私との結婚を通知してそこに追記される。それぞれが自分の名前で自分の登録を持つ、シンプルで公平なシステムである。２人は対等で、不要なものも重複もない。住所も記録されるので、別途、住民票も住民基本台帳も必要ない。登録されると、ＩＤナンバーと社会保健カードを得た。ＩＤナンバーは、日本のマイナンバーに相当する。社会保健カードは医療機関に着いたとき、看護師や医者に会うとき、オンライン処方された薬を薬局で買うときなどに必要になる。

IDナンバーで、医師との連絡や年金額予想ができる

フィンランドのＩＤナンバーは、１９６２年に年金保障センターという役所が年金を受けるすべての人に出した番号として始まった。１９６４年からは、国民年金機構が病気の際の保険としてフィンランドに永住するすべての人に与えるようになった。情報処理システムを使った、全国の統一的な人口登録が議論され始めたのも１９６０年代で、１９６９年に人口登録センターが設立された。本格的に情報処理システムによる人口登録が始められたのは１９７１年である。国民年金機構が管理していた情報は、１９７０年代に入ると人口登録センターの所管に移った。

つまりＩＤナンバーの管理は、年金センター→国民年金機構→人口登録センターと移行していったわけだが、地方登録事務所（Maistraatti）という役所もあった。フィンランドには教会での宗教的な結婚と、地方登録事務所などでの非宗教的なシビル結婚の2つがある。前者の場合、教会が地方登録事務所に届出をし、後者の場合は地方登録事務所が直接記録していた。２０２０年1月に、地方登録事務所と人口登録センターを合併して、デジタル人口情報局（Digi- ja väestötietovirasto）として一本化された。１９７１年に始められた情報処理による記録を引き継いで管理。それまで全国各地にあった地方登録事務所は、デジタル人口情報局の派出所になった。ただし、現在もそこでシビル結婚をすることはできる。

デジタル人口情報局が管理するのは、フィンランド市民と永住権を持つ外国人。自分の情報は、デジタル人口情報局のホームページからログインして、オンラインでいつでも見ることができる。変更や追加も可能だ。

IDナンバーは日常のありとあらゆる場で必要で、それがなければ何もできないほどだ。生まれるとIDナンバーを得て、その後は保育園に入園する、就学前教育を受ける、小中学校に入学する、高校卒業試験を受ける、職業学校や大学に入学する、コロナワクチンを予約する、図書館のカードを作る、眼鏡屋でコンタクトレンズを作る、銀行口座を作る、求職・就業するなどの際に求められる。さらに郵便局に届いた荷物の受け取り、国外からの荷物の税関手続き、動産・不動産の売買、確定申告、パスポートの申請、自動車やヨットなどの免許申請、結婚、遺産相続、養子縁組、子どもの認知、選挙投票。市民イニシアティブを起こすとき、市民組織を作って特許庁に登録するときなどにも必要だ。市民組織は15歳以上、3人以上で作って法人として登録することができる。

自分に関する個人情報は前述したデジタル人口情報局に加え、医療、税務署、年金センター、郵便局、交通などのデータベースやホームページにログインして見られる。異なる医療機関にかかっても同じ電子カルテに記録され、過去1年の診断や治療、処方箋なども見ることができ、終末治療の際に希望することなどを書き込むこともできる。

デジタル化によって、オンラインで用を足すことができる。前もって予約した時間に、看護師や医師とチャットも可能だ。医療機関や銀行、役所との交信は自分のメールからではなく、それぞれのホームページを通じたメールの方が安全性は高い。パスポート更新、確定申告、税関手続き、車やヨットの免許更新、年金額の予想などもオンライン上ですむ。車検の時期が近づいたり、探している仕事に近い求人があったりすると通知が来る。

デジタル化、集約化された情報はビッグデータになって、他の情報と連結されて選挙管理、課税、司法、行政の政策決定や計画、研究、統計などに使われる。政府の機関は、さまざまな統計を作って公開している。知識の検索が容易で、各省庁や専門機関による質の高い情報や統計が得やすい。文書主義の国なので、書類の破棄や改ざん、隠蔽はなく信頼度の高い統計や情報が提供されている。個人情報の保護に、充分注意が払われているのは言うまでもない。

フィンランドでは、さまざまな情報がデータベース・データバンク化されている。すべての法律を集めたデータバンクや、司法的手続きと情報を集めたデータバンクなど、信頼できる知識が得やすい。ビッグデータを使いこなして、デジタルトランスフォーメーション（DX）が現実になっていることは日本との大きな違いだ。日本のように財務省や国土交通省などが、書類や統計の改ざんや破棄を平然と行っている国のデータは、国内のみならず国際的な信用も得ることができないだろう。

日本は情報が溢れていると言われるが、信頼できる情報は少なく質も悪い。日本語で何か検索して出てくるのは個人事務所やクリニック、ブログなどが発する情報が多い。同じ事がらについてのウィキペディアの内容を比べても、質的な差が目立つ。たとえば、「デジタルトランスフォーメーション」を比較すると、フィンランド語ではデジタルな情報通信技術の一般化と日常化と定義され、それがビジネスのあり方、市場、消費者と企業の間の力関係、労働の構造的変化、人々の行動、生活、学校での学習、高齢者のウェルビーイング、納税など公的手続きの電子化、電子政府サービスなど、80年代から起きた実際の変化に即して手短に説明されている。

一方、日本語のウィキペディアの説明は、長く雑然として焦点が定まらない。経済産業省の定義として「企業がビジネス環境の激しい変化に対応し、データとデジタル技術を活用して、顧客や社会のニーズを基に、製品やサービス、ビジネスモデルを変革するとともに、業務そのものや、組織、プロセス、企業文化・風土を変革し、競争上の優位性を確立すること」があげられており、新自由主義的な理解が優勢のようだ。[*2]

デジタル化によって、国勢調査の必要もなくなる。国勢調査は、フィンランドで１９９０年に初めてデジタル化された情報のみを使って行われ、１９９５年以降はされていない。

日本では、２０２０年に国勢調査が行われた。一部オンラインだったが、調査員の戸別訪問や手書き、回収によっても情報が集められた。膨大な時間とカネが使われていることになる。

高齢者にはデジタルスキルの支援

フィンランドのＩＤナンバーは、６桁の数字、３桁の数字、大文字のアルファベット（または数字）から成る。たとえば、131052-308Tという番号で最初の６桁の数字は生年月日(DDMMYY)で、その人が１９５２年10月13日生まれであることを示す。６桁の数字と３桁の数字の間には、「-」またはＡが入る。「-」は１９００年代生まれ、Ａは２０００年代生まれであることを示す。

続く３桁の数字は００２から８９９までの番号で、生年月日が同じ人を区別するための個人番号である。男性は奇数、女性は偶数。最後にあるのは、数字または大文字のアルファベット。これは、上記の合計9桁の数字を31で割り、端数を0から9までの数字、またはＡからＹまでのアルファベットに変換したものである。

生年月日を使ったナンバーは、ほぼ60年にわたって使われてきた。ＩＤナンバーそのものは名前と同じような扱いで秘密にする必要性は低いが、生年月日という個人情報をさらすことと性別を男女に分けることに対する批判があった。それを受けて２０２３年から２０２７年の間に、希望する人は生年月日と性別に基づかない番号に変えられるようになる。新生児には、新しいシステムでのＩＤナンバーが与えられる。個人ナンバーの非個人化であるが、この計画は政府の「ジェンダー平等アクションプラン２０２０－２０２３」（２０２１年）で述べられていて、平等を進めるものと位置づけられている。

これまでデータベースの自分の情報を見たり、さまざまな手続きを行うためにログインする時に使うのは、銀行の口座番号に紐づけられたオンラインの銀行ＩＤ番号だった。以前は、希望するとワンタイムパスワードが80個書かれた小さな紙が銀行から送られてきていたが、２０００年代からはスマホにダウンロードした暗証番号のアプリでのログインに変わった。スマホと併用することによってより安全性の高い電子的な署名になる。

ただし、政府や行政機関のデータベースを見るのに民間の銀行の口座番号による確証を使う設計は、最良のものとはいえない。こうしたシステムになっているのは、銀行が先に開発したシステムであることが理由だという。現在はスマホを経由した本人証明、つまり電子的署名の方法で、銀行の口座番号に基づかない２つのシステムが開発され、その使用が推奨されている。２０２３年までに従来のシステムは廃止される予定だ。スマホは本人証明、また電子的な署名の方法として、今後さらに不可欠なものになっていくだろう。

デジタル化による情報の漏えいや悪用、サイバー攻撃などの危険性はある。２０１８年から19年には、私立のカウンセリング・クリニックの情報漏えい事件があり、政府は、サイバー攻撃に対する防衛と個人情報の保護を強化している。フィンランドでは政府に対する信頼感が強い。また、政府は信頼されるに足る対策と行政を行っている。その2つが互いに支えあって、シンプルで効率的なシステムが回っている。

デジタル化のもう一つの問題は、高齢者にはむずかしいことだ。しかし、近親者やケアワーカーが教えるなど啓蒙《けいもう》に力が入れられている。国営放送Ｙｌｅは、２０１８年に「すべての年齢の人にインターネットを」というキャンペーンを行った。4週間のキャンペーン期間に、さまざまなデジタルスキルを教え支援を可視化したという。そこには、年をとったからできないのではなく、年をとっても学び続ける生涯学習と啓蒙の考え方がある。ただし、アナログな方法は完全に消滅したわけではなく、デジタルスキルのない人のために残されている。

デジタル管理が進む身分証明

長らく使われてきたＩＤナンバーだが、２０００年代以降は、写真入りのＩＤカードを作ることが推奨されるようになった。警察署が発行する5年間有効のカードだ。写真屋に行き写真を撮ってもらうと、そこから直接警察にオンラインで写真が送られる。写真屋から得た写真のナンバーを記入してオンラインでＩＤカードを申し込む。できたカードは郵便局に届けられ、携帯にメッセージが入る。郵便局でそのメールを見せて本人の証明として、カードを受けとるというシステムである。自分で撮った写真を使うこともできる。子どももＩＤナンバーを持っているが、18歳以下の子どもがＩＤカードを得るには、保護者の同意が必要になる。

フィンランドでは支払いもデジタル化が進んで、現金を持ち歩く人はとても少ない。私は、２０００年代から現金を持ち歩かなくなったが、ＩＤカードと社会保健カードは財布に入れて持ち歩いている。２０１９年から、身分証明として使えるのはＩＤカードかパスポートになった。運転免許証と社会保健カードは、身分証明としては使えない。パスポートは国外旅行のときの身分証明としても重要であり、日本のように選択的夫婦別姓が認められないために旧姓を併記したパスポートなどありえない。

まぎれもなく、かけがえのないその人であるということ、その人がその人であるという証明は、個人は不可侵であり権利を持つという認識に裏打ちされていて、身分証明というのは厳格なものだ。

別姓、同姓、複合姓、創姓から選べる

日本では、結婚すると夫婦同姓しかない。私は、最初は日本人と結婚し、10年間夫の姓を名乗っていたが、自分の名前のように感じたことはなく、離婚したとき旧姓に戻していた。２０１８年の法改正によって、フィンランドには別姓、同姓、複合姓、創姓の４つの選択肢ができ

た。特に通知しなければ、それぞれが自分の姓を保持し別姓になる。変えたい場合は届けるが、夫婦別姓がデフォルトだ。

　複合姓というのは夫の姓がＡ、妻の姓がＢの場合、結婚後の妻の姓をBA、またはABとすること。従来はハイフンでつなぐのが普通だったが、２０１８年からはつながずに離して表記してもよいことになった。また、２人共複合姓にもできるようになった。その場合、複合姓の順番は、２人で違っていてもよい。たとえば妻はBA、夫はABのように。また、１人は元の姓のまま、もう１人は複合姓でもよい。つまり夫婦別姓である。ただし、前の結婚で得た、以前の配偶者の名前を新しい結婚で複合姓、また同姓として使うことはできない。

　創姓は、結婚に際して新しい姓を作ること。２人の新しい門出を祝して作りたいと思う人もいる。ただし、どんな姓でも作ってよいわけではなく、いくつかのルールがあり審査を経て認められる必要がある。教育文化省の下にある組織が、例として５０００のフィンランド語の姓と７００のスウェーデン語の姓をアルファベット順にリストアップしている。

　興味深い例として、ルオツァライネンというフィンランド人と塚田という日本人のカップルが、「シンラウハ」という新しい姓を申請したが、認可されなかったケースがある。シンは心、ラウハはフィンランド語で平和。２つの言語を混ぜるものであること、どちらの国の姓の慣習にも従わないものであることが不認可の理由だったことが、２０１０年５月のフィンランド法務省の姓名審議会議事録に記録されている。

日本の選択的夫婦別姓議論は40年遅れ

フィンランドの姓の流れを簡単に見ると、夫の姓に改姓するという慣習はフランスなどから西フィンランドに伝わり、1700年代から上流階級や聖職者の子女の間で夫の姓を名乗ることが流行した。背景には、ロマンチックラブと結婚を結びつける考え方があった。女性の改姓は、1800年代になると裕福な農民層にも広がった。一方、婿入りした男性が妻の姓を名乗ることもあった。しかし、東フィンランドでは、結婚後の女性の改姓は広がらなかった。

フィンランドで、最初に「姓に関する法律」が制定されたのは1920年。当時は、屋号も使われていて、苗字を持たない人もいた。1920年の法律は、すべての人が苗字を作ることを規定。屋号を苗字にしたケースもあった。1930年の法律で、夫の姓への改姓、または旧姓と夫の姓を合わせた複合姓が義務づけられ1985年の改正まで続いた。つまり、女性だけが改姓するのだが、複合姓で夫は元の姓のままなので夫婦別姓である。夫婦同姓と夫婦別姓を含む法律だったことになる。

しかし、1979年の国連女性差別撤廃条約は、こうした制度を見直すきっかけとなった。その条約は、結婚と家族関係における女性差別を禁じ、男女は結婚に関して同じ権利を持つとする条項を含んでいた。男性は旧姓を保持できるのに、女性にだけ改姓、または複合姓を義務づけるのは、それに反することになる。フィンランドは翌80年、国連女性差別撤廃条約に署名したが、それを批准するためには法律を改正する必要があった。

法務省は男性も女性も旧姓を保持できる、どちらも複合姓にできるなど選択肢を増やした改正案を準備した。両親が別姓の場合の子どもの姓については、両親が決めることができる等の案も盛り込まれた。この改正案が国会に提出されたのは、１９８２年。女性議員のほとんどがその法案に賛成した。現在、女性の国会議員の比率は47%だが、当時は30%である。

しかし、改正案は強い反対を引き起こした。「家族の一体感や絆を壊す」「結婚制度を弱体化する」「親子で名前が違うと、子どもがかわいそう」。現在、日本で選択的夫婦別姓に反対して聞かれるこうした意見は、フィンランドでは主に当時の「キリスト教連合」系と「フィンランド地方党」系の党によって、１９８０年代初めに主張されていた。

議論を経て、改正案が通ったのは１９８５年。フィンランドで女性に改姓、または複合姓が義務づけられていたのは、１９３０年から１９８５年までの55年間だ。つまり、夫婦同姓以外の選択肢がないという状況は歴史的になかった。

フィンランドで論拠になったのは、女性差別撤廃と男女平等である。日本では、自民党の右派が選択的夫婦別姓に反対している。選択的夫婦別姓を求める訴訟で棄却されるケースが相次いでいるが、裁判で論拠とされるのは、憲法や民法、戸籍法などの法律であり、女性差別撤廃や男女平等ではない。また、実用的な問題として同姓にした場合、さまざまな手続きの煩雑さ、不便さなどテクニカルな問題があげられることが多い。女性差別は日本社会の隅々にまで浸透しているのだが、それにより深く向き合う議論はされていない。

アメリカで結婚後、戸籍をとってみた

私は、アメリカ・フィラデルフィアで結婚した。1991年の春で、イラクで湾岸戦争の只中だった。ペンシルヴァニア州の結婚許可が必要で、申請のためにフィラデルフィアのシティホールに行くと、手続きのために入った部屋の壁に「広島長崎バグダッド」と大きく書いた紙が貼られているのが目に入った。つまり広島と長崎に次いで、イラクの首都バグダッドへの原爆投下を誘うものだ。当時は街を歩くと、玄関のドア近くなどに黄色いリボンを結びつけた家をよく見かけた。出兵した息子やアメリカ兵の無事を祈る気持ちを表すものだ。しかし、それは3度目の原爆投下を望む気持ちと地続きでもあった。

結婚申請書のコピーを今も持っているのだが、1枚の長い紙で「男性の記述」と「女性の記述」の縦の2列に分かれている。住所、氏名、職業、生年月日、生まれた場所に続くのは「人種の色」である。「人種の色」という表現、さらに括弧して「ホワイト、ネグロ、その他、具

体的に」と書かれていることに２人とも「ええーっ！」と驚いた。非常な不快感と抵抗を感じたが、私はイエロー、夫はホワイトと書くしかなかった。

アメリカでは大学も学生の人種の分布を調査しているが、地理的なエリアで出身を聞くのが普通だ。色で言わされるのは初めてだった。ドイツのブルーメンバッハやフランスのゴビノーに遡る、１７００年代後半から展開された人種理論は、１９９０年代アメリカの結婚許可申請で制度化されていた。しかも、黒人より差別的な「ネグロ」という言葉も使われていた。こうした質問は、異なる人種は混ざるべきではないというゴビノー的な優生思想も感じさせる。

アメリカの結婚にはフィンランド同様、教会での結婚と非宗教的なシビル結婚の２つがある。私達はシティホールでシビル結婚した。結婚式をとり仕切るのは、牧師ではなく判事。家でのパーティには大学院の友人や知人、教授、教務の人などが大勢来てくれて、明け方近くまで賑やかだった。

外国での結婚は日本でも有効と聞いていて、翌月東京に行ったとき区役所に届け出た。戸籍とはどういうものなのか興味津々で、戸籍謄本をとった。外国人は戸籍の筆頭者にはなれないので、筆頭者は私だ。「平成○○年○○月○○日国籍フィンランド国○○○○（西暦○○○○年○○月○○日生）とアメリカ合衆国ペンシルヴァニア州の方式により婚姻同年○○月○○日証書提出東京都○○区○丁目○○番地（註、本籍地）○○○○（註、父の氏名）戸籍から入籍」

スペースも句読点もない文章で、最後の「入籍」の籍の字に小さいハンコが押されている。ここで「入籍」というのは、新たに作った私の戸籍への入籍を指す。上記の文の下には、「妻」という欄があり「美加子」と私の名前が書かれている。これは、筆頭者は私、その妻も私であるかのようでわかりにくい。ただし、男性の場合も同様の書き方になる。男性を筆頭者とする戸籍には、同じ場所に「夫」という欄があり、そこに筆頭者の名前が書かれる。戸籍は、わかりやすく記録することを目的にしていない。

夫の名前は、日本式に姓を先にして書かれている。しかし、生年月日は西暦で書かれていて統一性がない。それ以外のすべての時間の表記は元号なので、そこだけ時間の秩序が異なっている。私の生年月日は2ヶ所に書かれていて、無駄な重複がある。「戸籍上は男性（女性）」という表現をよく聞くが、戸籍に男女の別は記されていない。性別は長男、長女などの記載からわかるのだろう。

バツイチという表現がある。離婚すると、戸籍にXがつけられるという理解からきた表現と思われる。しかし、私の戸籍は外国人との2度目の結婚で作られたものなので、最初の結婚についての記載はない。一方、私の父を筆頭とする戸籍には、私の最初の結婚、離婚と2度目の結婚についての2つの記載があり、両方の記載の下の欄にバツをつけられた私の名前がある。つまり、私という人の記録としては重複しながら一貫性に欠けている。遺産相続の際、故人のすべての戸籍を集めなければならず時間がかかって煩雑なのは、こうした欠落がありうるからだろう。

バツイチは、戸籍上では除籍と記される。死亡した場合も除籍になりバツがつけられる。私の父を筆頭とする戸籍で、父は「平成○○年○○月○○日午後○○時○○分東京都○○区で死亡同月○○日親族○○○○届出除籍」になっている。死亡診断書ではないのだが、何時何分まで書かれている。また「親族○○○○」と書かれているのは、私の母である。なぜ「妻」ではないのか疑問がわく。上の記述の下方に「夫」という欄があり、父の名前が書かれているが、そこにはバツがつけられている。父が死亡し除籍されたことは、父を筆頭者とする戸籍に記されているが、死んでも筆頭者であり続け、母はそこに居続ける。ただし「平成○○年○○月○○日夫死亡」と記入されていて、その下にある「妻」の欄で、妻という字が太めの縦線で消されている。

「死後離婚」は存在しない

日本では妻が夫の死後に離婚を求める「死後離婚」が増えているという。夫が亡くなった後、妻が離婚するケースである。夫の死後も、夫の親や親族から介護を求められることを避ける、夫との関係を断つなどが理由だという。死んだ夫と離婚する死後離婚とは、まるでホラー映画のようだ。

フィンランドの婚姻法第3条は、「配偶者が死亡したとき、認定死亡のとき、または離婚が成立したとき、婚姻は解消する」としている。つまり、配偶者の死によって婚姻が解消することは、離婚による婚姻の解消と並ぶものと規定されている。死んだ夫と離婚するなどありえない。また、ここには人に対する根本的な認識の違いがある。第1章でふれたように、フィンランドには「自然人」と「法人」がある。簡単にいうと、自然人は生身の肉体を持つ私たち人間。法人は、会社や自治体、市民組織など「人工的」な人である。どちらもさまざまな権利と義務を持つが、「自然人」の権利は生まれたときに始まり、死んだときに終わる。死んだ人と婚姻関係にあること、死んだ人と離婚するなどということは法的にありえないのだ。

戸籍は筆頭者のもとに家族を束ね、妻は夫に、子は父に属するものとして記録する。人口登録の制度が中立なものではなく不平等が組み込まれていることは、女性差別、外国人差別、人権侵害などの問題とつながるだろう。

私の戸籍では、普通使われない壱《いち》、弐《に》、参《さん》、拾《じゅう》などの漢字が使われていて、読みにくくわかりにくい。さらに戸籍には、明治、大正、昭和、平成、令和などの年号が入り混じる。家族の戸籍であっても、何年のことなのかすべて西暦に換算しなければわからない。家や世帯として束ねられる一方、時間の流れは分断され元号という天皇の時間に切り裂かれる。

戸籍は、管理や統治の方法としては非効率的だ。人口登録の制度として最もシンプルなのは個人ごとに記録することなのだが、日本では個人という概念を嫌う。戸籍を「日本固有」の制度として維持することが、目的化しているようだ。選択的夫婦別姓への強い要求があるが、自民党が渋っている。家族の絆が失われるなどが理由とされているが、より深い理由は戸籍制度が崩れることへの怖《おそ》れだろう。戸籍は、平成６（１９９４）年に電算化されたというが、根本的な考え方は変わっていない。遠藤正敬は『天皇と戸籍「日本」を映す鏡』（筑摩書房）で、戸籍は天皇から見た臣民簿であること、戸籍と天皇制は対になって互いを支えあう制度であることを論じた。戸籍には日本の根幹に関わる深い問題があるのだが、自由な議論をすることができないという別な問題もかかえている。

日本の戸籍と住民票

戸籍に書かれる本籍は住所ではないので、住所の記録や証明には住民票という別のものが必要になる。住民票の項目は、「住所」「世帯主」「氏名」「生年月日」「性別」「続柄」「住民となった年月日」「本籍」「筆頭者」である。世帯主との続柄において人はある場所に住むという思想は、戸籍の世界観とつながるものだ。住民票を編成したものとして、さらに住民基本台帳があり、総務省はそれを次の事務処理のために利用しているという。

・選挙人名簿への登録
・国民健康保険、後期高齢者医療、介護保険、国民年金の被保険者の資格の確認
・児童手当の受給資格の確認
・学齢簿の作成
・生活保護及び予防接種に関する事務
・印鑑登録に関する事務

戸籍謄本と抄本、住民票、住民基本台帳という煩雑な制度を持ちながら、非常に限られた事務処理しかされていないことがわかる。

*1―内閣府「イノベーション25」(https://www.cao.go.jp/innovation/)
*2―デジタルトランスフォーメーション(https://ja.wikipedia.org/wiki/デジタルトランスフォーメーション)、2022年3月10日アクセス。

第3章

教育は貧富に関係なく受けられる

日本の教育に対する支出は、OECD38ヶ国で最低

私は、フィンランドで教育を受けたことは、息子への最高のプレゼントだと思っている。統一テストや受験のための勉強、細かい校則、長時間拘束される部活などに煩わされることがなかった。学校は、「社会の理不尽さに耐えることを学ぶ場」ではなく、批判的でイノベーティブに考え、政治参加につなげていくことを学ぶ場だった。「学力」をつけるのではなく、いかに学ぶかを学んだ。自分と向き合い、友人や先生、学校、交際相手、家族などとの関係の中で自分を発展させていくことができた。「フィンランドの学校で嫌だった人はいたけど、嫌だったことは思いつかない」と息子は言う。

高校での進路指導も、とても良かったようだ。2年生の頃には、エンジニアになると決めていた。親は人文系なのでまったく異なる進路なのだが、明快な指導があったようだ。迷ったり悩んだりした様子はなく自分が選んだことに自信を持っていて、親としてはつくづくありがたかった。

フィンランド政府が出す教育に関するさまざまな文書を読むと、その一貫性と嘘のなさ、志の高さが印象的だ。「どの子どもも、あるがままでかけがえがない」は、教育計画で最初に書かれることの一つである。「どの子どもも、あるがままでかけがえがない」というのは、桜井

智恵子が論じる「平等性とは、能力を否定するからこそ成立する。能力主義は人間の平等性を妨げる」という考え方に近いと思われる。[*1] 能力があるから、優れているのではない。能力にかかわらず、どの子どもも平等にかけがえがないとする考え方だろう。

息子は、東京の区立小学校に２年通った。入学したのは２０００年。森内閣が「教育改革国民会議報告　教育を変える17の提案」を出した年だ。冒頭の「危機に瀕する日本の教育」は次のように述べる。「日本の教育の荒廃は見過ごせない」「いじめ、不登校、校内暴力、学級崩壊、凶悪な青少年犯罪の続発など教育をめぐる現状は深刻」「子どもはひ弱で欲望を抑えられ」ない。[*2] こうした子どもに対する否定的な記述は、日本の教育行政で定型だが、私はこうした前提で始まる教育をまったく信用できない。日本の教育が荒廃していることには教育への公的支出の少なさ、子どもの権利条約無視、クラスの人数の多さ、学力主義、集団主義、管理主義など複合的な原因があるだろう。日本の教育に対する支出はＯＥＣＤ38ヶ国中で最低、２０２１年のＧＤＰ比ランキングでは１８１ヶ国中１３５位である。フィンランドは27位だった。

文科省の報告書「日本の子供たちの自己肯定感が低い現状について」（２０１６年）によると、諸外国と比べ、日本の子どもは自己肯定感や自尊心、幸福感が低いという。それはウェルビーイングに関することだが、そもそもウェルビーイングへの配慮がなく、否定的な決めつけから出発する教育がそうした結果を生んでもなんら不思議はない。

小中学校は98%が公立

フィンランドの教育行政では、教育文化省と教育庁が役割を分担している。教育文化省は教育に関わる法律の制定や予算の配分などを行い、高等教育（大学教育）を担当。教育庁は就学前教育から高校までの中等教育と成人教育、職業学校を担当する。また「教育計画の根拠」を出す。何を全国的な教育計画の根拠とするかを示すもので、日本で文科省が出す「学習指導要領」に相当するが、違うのはあくまでも何を根拠とするかを示すものであることだ。実際の教育計画を作るのは、各自治体または、私立学校を経営する法人である。フィンランドの小中学校は、98%が公立で私立は少ない。自治体と法人は「教育計画の根拠」を遵守する必要があるが、教育庁が教育に介入することはない。また、90年代までは教育庁が教科書をチェックしていたが、それは廃止され、日本のような教科書検閲制度はない。また、教室で教員に任される裁量が大きいという特徴がある。

給食や教材も無償

フィンランドは小中一貫の教育で、小中学校は基礎学校と呼ばれ9年生までである。教育で最も基本的な原則は無償、ウェルビーイング、子どもの権利、平等に要約できる。教育費は小学校から大学まで無償。給食は保育園から高校まで無償。教科書と教材は、小学校から高校まで無償だ。小中学校では、ノートなど学用品ももらえる。従来、高校の教科書は有償で親が買う必要があったが、２０２１年秋から高校まで義務教育になったことに伴って無償化された。

また、日本の学校にあるような学級費やＰＴＡ会費、お揃《そろ》いの体操服、家庭科キット、算数セット、習字道具、卒業アルバムなどさまざまな出費も一切ない。無償は、貧富の差による教育格差を広げないための政策だ。

給食は教室で食べるのではなく、小学校から高校まで学校の食堂で供される。ビュッフェスタイルで、メニューにはベジタリアンやラクトースフリーなどの選択肢がある。子どもの給食当番はなく、エプロンを持ち帰って親が洗ったり、アイロンをかけて学校に持って行ったりの手間もない。またつけ加えると、子どもは学校の掃除はしない。自治体が、清掃会社と契約して出費している。日本では、子どもが雑巾と箒《ほうき》で教室を掃除。母親が雑巾を作ることを求める学校も多く、母と子の勤労奉仕によって行政は経費を節約している。

フィンランドで、教育が無償になったのは１９７０年代。公立学校の運営は、クンタと呼ばれる自治体（日本の市町村に相当）が出費し、県は教育には関わらない。私立学校も、政府またはクンタなどからの公的資金で経営されるのが特徴だ。基本教育法第7条によって私立学校が利潤を得ることは禁じられており、授業料はないのが普通だが、親が多少必要経費を払うことはあるようだ。日本やアメリカ、イギリスなどでは公立学校の教育は質が悪いが、私立学校は経済的に余裕がある家庭の子どもに質の高い教育を行う傾向がある。しかし、それは平等を重視するフィンランドの教育思想が嫌うことで、そうした差はほとんどない。

17歳になると給付型奨学金、学習ローン、住居補助からなる公的な学習支援を受けることができて、親からの経済的自立を支える。金額はそれぞれの状況によって多少異なり、夏休みの3ヶ月は受けられないのでアルバイトなどが必要になるが、自助、共助ではなく国による公助が基本だ。日本では、生活保護世帯の子どもは大学に進学することができない。大学進学は、「贅沢」とみなされるためだ。「社会的弱者は排除されても仕方がないという発想[*3]」が国の制度になっている。貧困を生み出し、再生産しないために無償の教育を提供するフィンランドから見ると胸が痛む。学習支援について、詳しいことは拙著『フィンランドの教育はなぜ世界一なのか』（新潮新書）に書いているので、興味のある方はそちらをご覧いただきたい。

1クラス20人程度に先生は2人

学校でのウェルビーイングの概念も幅広い。安心して安全に学べる、必要な支援を受けられる、差別やいじめがないなどはその一部であり、20人程度のクラスの大きさも子どものウェルビーイングとして理解できる。学習の内容に応じて、さらに2つまたは3つのグループに分けるのも普通だ。クラスには先生が2人、アシスタントが1人程度つくので、きめ細かい学習と指導ができる。読書障がい、算数が苦手、移民でフィンランド語があまりできないなど、さまざまな子どもがいる。どういうニーズがあるか、支援が必要かなど一人ひとりについて親の意見も聞きながら教育計画を作る。学習支援は「学習のケア」とも呼ばれ、小学１年生から提供されている。

こうした学習支援は、日本で最近「個別最適化」として始められたことに似ている。しかし、日本の場合は教育産業としてビジネス化したり、特定の企業に利権を与えたり、将来的には公立学校の民営化も視野に入れたりするものであることが大きく異なる。

文科省は、２０２１年４月から小学校の学級編制の標準を５年かけて35人に引き下げることを決めた。都市部では、少子化によって１クラスの人数が減っているが、まだ多すぎだろう。きめ細かい学習と指導はなく、塾に通って学ぶ必要があるような教育しかされていない。フィンランドに塾はない。塾で学ぶような知識は学ぶことにとって本質的なものではなく、必要がないのだ。

自分の権利を知ることで、他者の権利を知る

ここからは、フィンランドの教育の基盤にある考え方を見るために、「ヘルシンキ市小中学校教育計画２０１６」の中からいくつかの項目を紹介したい。

「フィンランドは、すべての子どもの学習とウェルビーイングへの配慮を義務づける、複数の国際的な人権協定を遵守している。国連子どもの権利条約に沿って、子どもに関わる仕事をする者には、次の原則を守る義務がある。それは、子どもの利益を第一とすること、公平であること、子どもが守られ、ケアされ、発展していく権利である。さらに、参加する権利は、子どもが意見を表明する権利と、それが聞き届けられる権利である」[*4]

国連が１９８９年に定めた子どもの権利条約は、教育計画で必ず述べられる。フィンランドでの発効は１９９１年。差別されない権利、健康に生きる権利、思想・良心の自由の権利、知識を得る権利、休息・遊び・余暇・芸術・文化的生活への権利、暴力・ネグレクト・搾取・虐待から護られる権利など40以上の権利を定めている。また、学校では子どもにこれらの権利を教えている。自分の権利を知らずに、政治的な主体として生きていくことはできない。権利が侵害されても、それに気づくこともできない。自分の権利を知ることは、他の子どもも同じ権利を持つことを知ることであり、それを尊重することが義務になる。

子どもの権利条約は、親と国の義務も定めており、大人には子どもの権利を守る義務があるという関係が示されている。日本は「子どもの権利条約」を１９９４年に批准はしたが、実際に使われておらず、子どもにも教えていない。日本の行政は、国民の権利を嫌う。「義務を果たしたら権利を与える」「権利ばかり主張して義務を果たさない」などの発言もよく耳にする。

しかし、現在の日本の教育問題の多くは、子どもの権利条約を施行することによって大きく改善されるだろう。

日本には、「子ども条例」や「子どもの権利に関する条例」を持つ自治体もある。２０２１年３月には、「東京都こども基本条例」が制定された。しかし、「社会の宝であるこども」「家庭、学校、地域社会及び関係機関等との連携強化」など文科省の考えをなぞるものにとどまる。「こどもの笑顔があふれる社会の実現」「こどもにやさしい東京を実現」などの言葉が並んでいるが、子どもの権利にふれるものではない。[*5]

エリートと非エリートを作らない

「子どもの性別、年齢、民族的出自、国籍、宗教、信条、思想、性的指向、病気、障がいによって異なる扱いをしてはならない。（中略）教育及び、使用される教材は、平等の原則を支えるものであること」、と「ヘルシンキ市小中学校教育計画２０１６」は規定している。[*6]

すべての子どもへの平等と公平を徹底し、教育格差を作らないことが常に強調される。平等は憲法、基本教育法、公平法、男女平等法などが規定しているので、社会の一部として学校も当然、平等を原則にする。一方、日本の学校は法の支配が及ばない治外法権といわれている。

フィンランドは平等を強調して社会階層を否定的に見る傾向があり、社会階層を作らない、あるいは広げない努力をしてきている。たとえば、新しい集合住宅エリアを開発するときは高額な分譲住宅だけではなく、低所得者や学生向けの賃貸住宅を混ぜて、階層による住み分けを防ぐ住宅政策がとられている。前からある高級住宅地を整備するとき、公的で安価な賃貸住宅を設けるのも普通だ。

歴史的に古い、高級住宅街にあるなどの理由で、日本風に言うと「エリート校」のような学校は少数あるが、教育の重点はエリート製造ではなく弱い立場の子どもを支援すること、落ちこぼれる子どもを作らないこと、教育を受けなかったために貧困や差別につながっていかないことの方に置かれている。日本では有名な高校や大学を卒業するとエリートとみなされるが、フィンランドでは平等が価値を持つので、高校や大学を巡るヒエラルキーは弱く、エリートと非エリートを分ける体系にはなっていない。

フィンランドでは、どの高校や大学を出たかはあまり重要ではない。かつて学業を中断したことがあっても、年齢にかかわらず学びなおす制度があり、大学に行かなくても職業学校、その他成人のためのさまざまな教育機関がある。学校や大学名ではなく、何を学び、どう生きていくかの方が重視されている。

日本を学歴社会と思っている人は多いが、実際には学名社会である。また、4年制大学を出ると高学歴とされるが、国際的に見れば学士は高学歴ではない。多くの分野で少なくとも修士が求められるようになっていて、高学歴というのは修士以上を指すのが普通だ。

教育の役割

「ヘルシンキ市小中学校教育計画2016」は「小中学校教育の文化的役割」として、「多様な文化的能力を推進し、生徒自身の文化的アイデンティティと文化的資本の構築を支援すること」としている。[*7]日本の「小学校学習指導要領」は、「伝統と文化を尊重し、それらを育んできた我が国と郷土を愛[*8]」することを教育の基本にあげており、非常に異なるアプローチである。

続けて、教育の役割は「人間としての成長を支援し、民主主義社会の一員であること、持続可能な生き方を進めること。特に重要なのは、生徒が自分の特質、長所、発展の可能性を認識し、自分を肯定的に評価することを奨励すること[*9]」としている。自己肯定感を高めることが、教育の役割の一つとしてあげられていることも日本と異なる。

「学習のプロセス」は、次のようだ。

「良い学習のプロセスは、エキサイティングで遊びのように楽しく、実験的で好奇心をかきたてる。自分自身の考えを探求、問いを発し、物事を疑い、議論することが奨励される。一緒に行うこと、アイデアを大胆に発展させて共有することは、イノベーティブな学習の出発点であり、新しい考えを生み出す。それは、生涯にわたって学び続けることの動機となる。（中略）ポジティブでオープン、安全な学校の雰囲気の中で、子どもは学び、発達する。ペダゴジーと専門知識を使いながら、教師は子どもの発達の枠組みを作る」[*10]

「エキサイティングで遊びのように楽しく」「アイデアを大胆に発展させて共有」「イノベーティブな学習」など、心が弾むような教室の風景が浮かびあがる。また、「一緒に行うこと、アイデアを大胆に発展させて共有すること」という学習には「能力の共同性」に通じるものを感じさせる。桜井智恵子は「能力は他者との相互関係自体」であるとし、能力を個に還元して個別最適化をはかるのではなく、他者との関係性の中で学ぶ考え方と論じている。[*11]

こうした学習を行うためには、教師のペダゴジーと専門知識が必要になる。ペダゴジーはさまざまな教え方・学び方の理論と方法、実践を指し、フィンランドの教育で常に重視される。いつも同じ教え方をするのではなく、グループの大きさや課題、屋外や屋内など学びの環境、子どもの文化的背景などの相互的関係の中で流動する。教科の内容や子どもの反応などを見ながら、先生が効果的な学びの運営を行っていく。一方、日本の教育でペダゴジーという言葉は聞かれず、教員はペダゴジーの教育を受けていない。そのため昔ながらの反復や暗記、叱責などが行われているのが現状だ。

情報の概念

情報の概念について「ヘルシンキ市小中学校教育計画２０１６」は、次のように説明している。

「これからの学習で基盤になるのは、情報はあらゆる場所にあり、常に流動し、インターネットの媒介によって、誰もがアクセスや修正ができるということである。情報が信用できるものであるかどうか、批判的に見極めることが重要になる。インターネット上で情報は消滅するので、全体を把握し、本質的な部分を見極める能力が必要になる。情報の取得、マネジメント、情報処理、情報を応用する能力が高まり、意味ある形で情報を生み出すことが可能になる。また、理解されやすい形で情報を発信することもできるようになる[*12]」

情報と訳したが、知識とも訳せる言葉である。ここでは、情報社会における教育が説明されている。インターネット上のさまざまな情報を「批判的に見極めること」も教育に含まれる。こうした考えに立てば、どの歴史教科書や道徳教科書を採用するかという、日本の教科書論争は二義的なことにすぎない。それは、教科書検定制度の下、教科書に書かれていることが正しいと教える教育の発想だろう。

日本では、２０２１年からＧＩＧＡスクールが始まった。全国の児童生徒に１人１台のパソコンと高速ネットワークを提供する計画だ。文科省は「令和時代のスタンダードとしての１人

1台端末環境」とし、一部でパソコンやタブレットを使った教育が始まったが、「デジタル教科書」と称して中には教科書が入れられ、さまざまな機能には制限がかけられていて、インターネットの世界に開かれたものではない。

90年代から進むICT教育

フィンランドでＩＣＴを使った教育は90年代から導入されている。

「小中学校教育でＩＣＴのスキルは学習の対象であり、道具でもある。ＩＣＴはすべての学年で、異なる学科、多様な学習の全体、また他の活動に計画的に使われる。ＩＣＴのスキル開発は、次の４つの領域でなされる。

・中心となる概念の理解と実際のＩＣＴスキルの発達
・安全、責任、人間工学的な使用
・データマネジメント、調査、創造的な活動での使用
・ネットワーク化したインターアクションでの使用

児童生徒の積極性を支援、自分にあった方法と学習ストラテジーを指導。児童生徒は自分の考え、アイデア、学習を可視化し、思考と学習のスキルを発達させる」[*13]

日本の「小学校学習指導要領」は「主体的・対話的で深い学びの実現に向けた授業改善」と

して、「コンピュータや情報通信ネットワークなどの情報手段を活用するために必要な環境を整え」「コンピュータで文字を入力するなどの学習の基盤として必要となる情報手段の基本的な操作を習得」「プログラミングを体験しながら，コンピュータに意図した処理を行わせるために必要な論理的思考力を身に付ける」としている。[*14] 環境や設備が整っていない、先生が指導できないなど初歩的な問題が多いなかでのＩＣＴ導入は、少数の選ばれた学校だけのことに止まり、さらに教育格差を広げる可能性もあるだろう。

統一テストがない理由

「学習の戦略」は、次のようになっている。「情報の収集、処理、取り扱い、記憶を呼び起こすことに関するプロセスである。学習の戦略は、個人によって異なる。それは学ぶこと及び、すでに学んでいることを新しい状況に移しかえることを容易にする。学習者は戦略を変えることができ、状況に応じて異なる戦略を選ぶ。（中略）教師は、児童生徒がどの戦略をとるかを指導し、その有効性を評価する。教師は自分自身の指導方法を顧みて、個々の児童生徒が必要とするものと学習状況にあうように、柔軟な指導を行う。また多様な方法、アプローチ、メソッドを用いる。教師は、児童生徒と共に学習の環境を作る。生徒が積極的に主導、自分の学習を顧みて、自分の学習について責任を持つような環境を作る」[*15]

こうした学習の戦略は、「基礎的・基本的な知識及び技能を確実に習得させ」ることを「小学校教育の基本」とする日本の「小学校学習指導要領」との大きな違いを感じさせる。[16] また、ここで示されているのは、教師が駆使するペダゴジーのスキルである。「生徒が積極的に主導」「自分の学習について責任を持つような環境を作る」のは、日本の学校で行われている「学級作り」とは、非常に異なるものだ。

続けて「多面的でポジティブ、現実的なフィードバックを与えることと受けとることが、学習支援のため、また興味の範囲を広げるためにきわめて重要である」としている。[17] フィードバックは、テストによる評価ではない。ここで目指されているのは、テストや受験のための勉強ではなく、「学力」と呼ばれるもので測ることはできないものだろう。フィンランドに学力テストや統一テストがないのは、こうした考え方によるものだ。

いかに学ぶかを学ぶ

「いかに学ぶかを学ぶスキルは、生涯学習の基盤になる（中略）。考えるスキルは、幅広い能力で、知識のコントロール、マネジメント、使用、応用、また新しい知識の創造、問題解決、判断、決定に必要である。こうしたスキルのモデル化と指導が、小中学校レベルのすべての学科の学習において中心になる（中略）。先生から児童生徒へと知識を移すのではなく、異なる考え方のスキルの練習が重要である。その場合、知識の内容は、スキル発展のための手段になる。異なる学科の内容、及びその間の関係に対する理解が深まり、多様化する[*18]」

ここで言われているのは、先生が教えることを学ぶのではなく、いかに学ぶかを学ぶという重要なことだ。知識の内容自体が重要なのではない、それは目的ではなく手段だというのは、知識を相対化することでもある。知ること、学ぶことに関する、きわめて本質的なことではないだろうか。

「考えること、またいかに学ぶかを学ぶことは、個人的、集合的に行う。大胆なイノベーションと新しいことを創造する考え方を奨励する。児童生徒は想像力を駆使し、代替となるものを見出し、偏見を持つことなく、異なる視点を組み合わせていく。遊び、ゲーム、体を使った活動、実験的な試みなどが、またさまざまなアートも学習の喜びを進め、創造的な考え方を刺激する[*19]」

「個人的、集合的」な学びが示されており、ここでも「能力の共同性」という考え方が感じられる。また、ここで奨励されているのは、従来の枠組みから逸脱していくこともあるような学習だろう。「大胆なイノベーション」「新しいことを創造」「想像力を駆使」など、日本の教育では見かけない言葉が連なっている。日本の学校では、「算数記号には正しい筆順がある」「教科書の先読みはいけない」などと教えている。

批判的に考える力を高める

「学校は多様な学びのコミュニティであり、メンバー全員が建設的に参加することが重要である。ともに学ぶことが児童生徒の創造的で批判的な思考能力と問題解決能力を高め、異なる視点による理解を進める。コミュニティとしての学習と知識の構築が、個人の社会的成長及び、将来社会の一員として責任ある行動をとることとの基盤になる[20]」

ここでは、学校というコミュニティの中で「ともに学ぶこと」が「創造的で批判的な思考能力」を高め、個人の社会的成長の基盤になるとされており興味深い。日本の教育は個人主義を嫌い集団主義だが、それは個の主張や批判的な思考を抑えたり、同調圧力を強めたりすることにつながる。また、日本には西欧は個人主義という思い込みがあり、その反動が学校教育を集団主義に向かわせている側面もあるようだ。フィンランドの学校は一人ひとりの子どもを尊重する一方、ともに学ぶことや学びのコミュニティも重視している。それは、個人主義でありつつ「能力の共同性」も併せ持つものと考えることができるだろう。

続けて「学習を通して文化的、社会的な参加が生まれる。テクノロジーの使用が、新しいコミュニティの形を作り、そこでの学習を可能にする」としている[21]。

参加はフィンランドの教育が強調することの一つで、政治的な参加へとつながっていくことでもある。テクノロジーの使用を否定的にとらえず、新しいコミュニティの形を作るものと肯定的にとらえている。

メディアは「文化を編集」するもの

「ヘルシンキで児童生徒は、文化的、思想的、言語的に多様な世界で育っている。そうした環境での行動には、相手を尊重する文化的能力、お互いを評価する関わりあいの能力、自分と自分の考えを表現する能力が必要である[*22]」

他者との関わりあいを学びに組みこむことにも、「能力の共同性」という考え方が感じられる。ヘルシンキでは約14％の住民が外国生まれで、児童生徒のバックグラウンドも多様だ。

「児童生徒は、自分の文化的バックグラウンドと、世代の繋がりの中での自分の位置を理解する。社会と日常の中で、いかに文化と物事の見方が交差し、メディアが文化を編集し表出するかを見分ける。児童生徒も文化と伝統を伝え、編集し、創造することを学ぶ[*23]」

メディアは事実を伝えるのではなく「文化を編集」するとしていて、メディアが伝えるものを複眼的に見ることを促している。「世代の繋がりの中での自分の位置を理解」しつつ、「児童生徒も文化と伝統を伝え、編集し、創造する」とされているのは興味深い。

「議論すること、自分の意見を建設的に表現すること、発表することを学ぶ。自分とは異なるグループの人たちを尊重、信頼する。他人の立場に自分を置いて、物事を異なる視点から考える。すべての活動において、他の民族的背景を持つ人などに対する尊重と信頼を強化する。（中略）児童生徒は感情、見方、考え、意見を表現することを学ぶ。さまざまな機会で発表し、クリエイティブであることが奨励される。言葉の他、身体的、視覚的、音楽的な方法を使う。アートのさまざまな表現方法に親しみ、そこから愉しみと喜びを見出す。環境の美学を観察する[*24]」

多文化環境の中で他人を尊重し、かつ自分を豊かに表現する方法を学ぶことの重要性が示されている。そこでは、「クリエイティブ」「身体的、視覚的、音楽的」「愉しみと喜び」などが強調される。

日本では、「あいさつ運動」を公式に行う学校が多い。朝、子どもたちを校門前に立たせ、大声で「おはようございます」と挨拶させる運動だ。「挨拶ができる」ということに過大な価値が置かれていて、自由な発話ではなく定型的な発話や感情、表現、行動が重視される。運動会の終わりに全校児童が万歳三唱するのと同様、自分らしい発話と表現ではなく、集団的な発話と表現を指導する。皆で決まった言葉を大きな声で言うことは、1人で決まっていないことを言い、考えることを閉ざすものだろう。

ソーシャルメディアを否定せず使い方を教える

「生きて行く上で、さまざまなスキルが必要である。健康、安全、人間関係、テクノロジー化した日常生活、経済的管理、消費活動など。それぞれが、その行動によって自分と他人のウェルビーイング、健康、安全に影響を与えあうことへの理解へと学校のコミュニティは導く。自分と他人を配慮しケアすることを奨励、自分の人生と日常の視点から重要なスキルを練習、周りの環境のウェルビーイングを増強させる[*25]」

人間関係に関わることが、ウェルビーイングとケアの視点から説明されている。自分が我慢するのではなく、自分と他人双方のウェルビーイングを高めるスキルが求められている。

ソーシャルメディアについては、次のように書かれている。「危険を予測し、適切な行動をとるよう指導する。現実の環境、およびソーシャルメディアでのプライバシー保護、どこに個人の境界線を引くかを見極める[*26]」

ソーシャルメディアには性的な内容のもの、いじめの言葉、フェイクニュースなども多い。しかし、ソーシャルメディアを否定的にとらえるのではなく、安全な使い方、プライバシーや個人の境界線、フェイクニュースの見分け方なども学校で話し合い教えている。

以上、「ヘルシンキ市小中学校教育計画2016」から一部を見た。日本の公教育には子どもの権利や平等、ウェルビーイングはなく、教育の内容も教え方も古臭い。文科省が提唱する「令和の日本型教育」では、今後の国際社会で生きていけないし、フィンランドの教育の高い理念と知見、実践にはまったく太刀打ちできない。特に２００６年に「改正」された教育基本法下の教育、右派の介入を受けた道徳教育や歴史教育を行う学校には、強い懸念《けねん》を感じざるをえない。教育のＩＣＴ化は非常に遅れている一方、２０２２年1月に、政府が学習履歴など個人の教育データをデジタル化し、２０２５年頃までに一元化する意向であることが報じられた。学校や教育機関が共有し教育を向上させる、生涯学習に役立てる、子どもの個性を伸ばせるなどと説明されているが、さらに子どもの管理と監視体制を強めていくのではと懸念される。

小中高の教員になるには修士が必要

フィンランドでは、小中学校と高校の先生は全員修士を持っている。１９７９年の法令によって、教員には教育学の修士が必要であることが定められた。もともと、フィンランドの大学は修士を得る場だったが、教員が修士を持つことが法制化されたことになる。

ボローニャ・プロセスと呼ばれるヨーロッパ諸国の高等教育担当大臣による一連の会議や条約があり、１９９９年に声明を発表。高等教育の互換性と流動性を高めるために、国を超えたヨーロッパ高等教育圏（ＥＨＥＡ）を２０１０年までに創設することを目指した。フィンランドはボローニャ・プロセスに加わって、２０００年代から大学で学士も出すようになったが、高等教育全体としては修士が望ましい学位であることは変わっていない。

子どもに教えるには、高い専門性を要する。子どもの成長と発展に関する深い知識、専門分野に関する深い知識、ペダゴジーを駆使して指導する能力、倫理的な責任、社会の変化に応じた新しい知識と実践を学び続けることなどが必要になる。子どもが自立した学習者となり、生涯にわたって新しいことを学び続けるよう影響を与える役割も持つ。また、ロールモデルとしての責任もある。

フィンランドの教員教育の基本になるのは、教えることと研究が結びついていることである。教員を目指す学生が、必ず修士論文を書くのはそのためだ。もちろん実習もあるが、研究者の視点を持ち、自分の教えることや教え方を内省することも要求されている。つまり、フィンランドで「江戸しぐさ」のようなことを学校で教えることはありえない。江戸しぐさは、人とすれ違うときは傘をかしげるなど江戸町民が行っていたとされるマナーで、日本の一部の学校で行われているまったく史実に基づかない道徳教育である。

教員が、職業的なスキルや知識をアップデートするために学びたい場合は、成人教育手当がある。少なくとも8年間働いた経験があることを条件として、月額592・11ユーロ（約7万7000円）の基本手当と、それまでの収入に応じた手当の2本立てになる。払うのは雇用財団という名前の財団だ。また、国が保証人となる月額650ユーロ（8万4500円）の学習ローンを得ることもできる。こうした制度があって、学び続けることを支援している。

教員教育については、ＯＥＣＤや欧州連合、ユネスコ、ユニセフなどで議論されてきた。質の良い教育は、子ども一人ひとりにとっても国にとっても欠かせない。教養としての価値に加え、国の経済的繁栄を支えるのは人の能力という観点から、教員が高い素養を持つことが重視される。欧州連合の委員会は、２００７年に報告書「教員教育の質の改善について（Improving the Quality of Teacher Education）」を出した。それは、高い学歴と生涯教育、生徒の指導と支援、ペダゴジーを応用するスキル、流動性などを主なポイントにしている。新しい知識を学び続け、教え方をアップデート、研究に基づくエビデンスのある指導を行う。また、ボローニャ・プロセスに参画している他の国で学ぶ、研修を受けるなどして能力を開発することも推奨している。

日本の現状を見ると、教員は部活や学校行事などの雑務に忙殺されている。２０２１年12月のＮＨＫの報道によると、小中学校、高校で時間外労働の平均が「過労死ライン」の月80時間を上回り、小中学校では３人に１人が休憩時間は０分だという。

こうしたなか、福岡市は２０２２年から筆記も面接もなく、教育実習の評価と大学の推薦だけで採否を決める新たな教員採用試験を導入、国も容認するという。また、大学や短大を卒業して取得する教員の普通免許ではなく、欠員を補うための臨時免許で教壇に立つケースが増えていると報じられている。

さらに、文部科学省、国土交通省、厚生労働省は共同で「地域参加による学校づくり」を進めている。地域住民が「子ども達の教育を支える立場で参加」するという考え方は、70年代以降に提唱され始めた「学校、家庭、地域」の延長上にある。教育の専門知識を持たない地域住民を活用し経費を節約しつつ、地域の靭帯《じんたい》を強める効果を持つだろう。教育の専門性を重視するフィンランドとの大きな差を感じさせる。フィンランドの教育は学校と家庭の協働は重視するが、「地域」という考え方はない。

高校まで義務教育に

フィンランドでは中学卒業までが義務教育だったが、２０２１年秋から高校・職業学校を終えるまで、または18歳までが義務教育になった。それに伴って、これまで有償だった教科書と教材も無料になる。ただし、楽器やスポーツ用品などで、学校にないものは従来通り自分で購入する。

なぜ義務教育延長が必要なのか、政府の説明は次のようだ。急速に変化していくこれからの社会では中学卒業だけでは不十分で、高校か職業学校の卒業が必要になる。無償であることで教育の平等と公平を広げ、すべての若者に勉強を続ける場を与え、さらに雇用につなげやすくする。フィンランドの小中学校の教育レベルは高いが、教育の不均等や不平等は存在し、脅威になっている。エリア間の差、社会経済格差、男女格差、親の教育レベルによる格差もある。移民、移民の親を持つ子ども、障がいを持つ子ども、弱い立場にある子どもは落ちこぼれやすい。雇用されるには、最低中等教育が必要だが、約16%がそれを修了していない。脱落して不可視化されることを防ぐためには、教育が最良の安全保障になる。教育、研究、イノベーションを強調して、フィンランドは福祉国家を建設し、経済発展の基礎を築いた。平等な社会が目指すのは、すべての人が財源の許す限りより高い教育を受けられること。教養はフィンランドの価値観の中でも重要なものの一つであり、人を自由にする要となると政府は説明している。

この説明には、さまざまなことが織りこまれている。急速に変化する世界に対応するために、市民の教育レベルを上げる必要があり、中等教育の無償化によってそれを推進する。そこには、新自由主義的な世界の中で平等を貫こうとする教育政策、市民のウェルビーイングへの配慮、脱落や格差の広がりを教育によって防ごうと考える啓蒙主義がある。また、新自由主義だけではなく教養主義も顔をのぞかせ、知識は人を自由にするという考えが述べられている。高校までの義務教育延長は、経費の負担が増えるので反対する自治体もあったが、教育文化省は予算を大幅に増やして対応した。

ただし、すべての子どもが必ずしも高校まで行きたいと思うとは限らない。教育文化省は、18歳以下の若者が高校に行かない場合は、充分な支援を受けられているかどうか確認する、ワークショップなど他の形での学習を考えるなどの対策を挙げている。必要な場合は、医療などの社会的な支援を受けられる。また保護者には、子どもの義務教育修了に注意を払わなければならず、故意に放置した場合は罰金刑を科すことができるとしている。

教育に忍び寄る新自由主義

競争や効率、経済性を重視する新自由主義は、平等やウェルビーイングの原則と相性が悪い。フィンランドの国営放送Ｙｌｅが２０２１年１月に放送した「競争はチームワークを育てない――トップへと追い立てることは子どもの発達を支えない」という番組は、その緊張関係を扱うものだった。内容をまとめると、子どもは競技が好きだが、大人の設定する競争は害になる。ストレスや攻撃性を増やし、グループ意識の形成を妨げ、自分はダメだと感じる子どももいて弊害が大きい。小中学校の役割は、社会の一員として人間性を育てることであり競争ではない。新自由主義の風潮の中で、そうした価値をどう持ち続けていけるかを問うものだった。

フィンランドの学校で、子どもが自分の目標を立て、自分で評価するシステムがあるのは、他人との競争が学習の目的ではないという考えからきている。もちろん先生も評価するのだが、自分で自分を承認するシステムであり、他の子どもと競いあうことは奨励されていない。ただし、自分で目標を立て、自分で評価することをしんどいと感じる子どももはいる。

フィンランドは教育に競争を持ち込むことには消極的だが、影響は受けている。たとえば、以前は大学入学の平均年齢は26歳だったが、最近は22〜23歳と下がっているのはその表れだ。高校卒業後、すぐに大学に進学しなければならないという考え方は現在もないが、ボローニャ・プロセスに加盟した1999年以降、あまり間を置きすぎない進学を奨励し始めたのは新自由主義的傾向といえる。また、新自由主義的な教育政策としては、2015年から2019年のユハ・シピラ内閣が行った大幅な教育費削減がある。現在のサンナ・マリン内閣の教育政策は、それを修正している。

フィンランドに限らず北欧諸国では、他の国に比べて家族のバックグラウンドが教育に与える影響が少ないという調査結果がある。しかし、教育文化省は2000年代以降、教育格差が広がっていることを懸念している。研究によると、社会経済的な差による格差は性別による格差より大きい。また、学校間格差と地域間格差が広がる傾向にあるという。都市部、特にヘルシンキ周辺で増えている移民系の子どもをいかに支援し、学校と社会に同化するかも課題の一つになっている。また、少子化が進んでいるが、子どもの減っている自治体でも、子どもたちには同じ条件で教育を受ける権利があることが強調されている。少子化によって節減できる予算を教育に当てる、コロナ禍によって教育の失われた世代にしてはならないことも強調される。

政府は2040年へのビジョンとして、質の高い教育と研究、文化の上に国際的な競争力と市民のウェルビーイングを築くことをあげている。国際的な競争力は、子どもの間の競争を意味しない。新自由主義に飲み込まれず、平等の原則を守り、格差を抑え、一人ひとりのウェルビーイングを尊重していく教育を追求していく所存のようだ。

教養とインテグリティ

フィンランドの教育が最終的に目指すのは教養（sivistys）で、教育計画にも政府の教育政策にも必ず言及がある。教養はドイツ語のbildungで、日本には大正期に輸入された概念だ。フィンランドの教育で、教養を高めることは出発点であり、終わることなく追求していく目標でもある。教養が意味するものは時代とともに変化したが、現在教育に関して使われるときは、知性や良識、批判的思考、議論によって民主主義を維持し推進させる能力などが中心になっている。教養ある人は、いかに学ぶかを学び自立した学習者であり、アクティブな市民である。

教育大臣のリー・アンデルソン（１９８７年生まれの女性）は、２０２１年12月のツイッターで「教育はしばしば人的資本としてのみとらえられ、経済発展の道具とされて、教養そのものが持つ意義が忘れられてしまう」と書いた。[*27] 人的資本や経済発展の道具ではない教養、つまり新自由主義に抗うものとして教養をとらえていることが感じられる。

フィンランドの教育は啓蒙主義的で、啓蒙主義に対する楽観的ともいえる信頼がある。正しく学ぶこと、知ることによって人は発展し、社会は良くなると考える。そこには、すべての大人が参政権を持つ民主主義には危険が伴うので、教育による啓蒙が大事という考え方も含まれる。また、新しく正しい知識を広げることによって社会は良くなるという考え方には、「福音」という思想が見え隠れする。福音はイエス・キリストの誕生を伝える知らせで、フィンランド語では「喜ばしい知らせ（ilosanoma）」と呼ばれる。新しく正しい知識を「福音」の一種としてとらえる感性の背景には、福音ルター派があるだろう。福音ルター派については、第6章でふれたい。

教育に関しては、インテグリティ（eheys）という概念もよく使われる。知識を分断させないこと、また科目ごとに分断されていない、分野横断的な考えや学びを指す。他の学科とも関連づけて学ぶことが重視されるのは、そのためだ。インテグリティは、興味深い概念でいくつかの意味を持つが、欠けるもののない完全な全体や、欠落がなく満ちているものを意味する。またオリジナルなもの、本当のもの、過去にあったものという意味あいもある。キリスト教的な思想を感じさせる概念で、神が創造したものには欠落がなく完全だったが、人間が欠落や分断を引き起こしたことも暗示しているようだ。

西欧近代の二元論はしばしば批判される。二元論批判はもちろん必要だが、それとは別に三位一体という考え方も用意されている。宗教的には「父と子と精霊」の3つによってバランスを持って完成される。インテグリティは、三位一体を想起させる概念である。それは、司法・立法・行政、国家・市場・家族など近代国家の仕組みとしても説明される。

フィンランドでは、教育の全体像もインテグリティという概念を使って説明される。教育は一般教養教育、職業教育、高等教育の3つに分けられている。一般教養教育は、一般教養と知識、スキルを子どもに与え、将来社会に影響を与える活動をする助けになるもの。具体的には就学前教育、小中学校、高校などでの教育を指す。職業教育は、実際の職業に直結する教育で、高校に進学しない場合の選択肢の一つである。高等教育は大学以上の教育になる。一般教養と職業教養を二分化しないことが強調されるが、さらにその3つの教育を補完するものとして「自由な教養教育」と呼ばれる教育がある。主に成人のためのさまざまな教育機関での教育を指し、自治体や大学、教会などが提供する教育である。労働者インスティテュート、市民学校、学習センター、スポーツインスティテュート、オープン大学、夏季大学などさまざまな名称の機関がある。

教育文化省は「自由な教養教育」を「社会のインテグリティ、平等、アクティブな市民性を高める。また、多面的な発達とウェルビーイングも進める」としており、成人に用意される「自由な教養教育」は、補完的で社会のインテグリティを増すものと位置づけている。教育が、教養とインテグリティを究極的な目的としていることも、結果的に新自由主義に抗うものになりうるかもしれない。

＊1―桜井智恵子、『教育は社会をどう変えたのか　個人化をもたらすリベラリズムの暴力』、明石書店、２０２１年、１９０頁。
＊2―『教育改革国民会議報告　教育を変える17の提案』
＊3―桜井、同右、２１０頁。
＊4―Helsingin opetussuunnitelma, 2.2.1 Oppimisprosessi.（https://ops.edu.hel.fi/ops/#yhteinen-osuus.）
＊5―東京都、「東京都こども基本条例」。
＊6―Helsingin opetussuunnitelma, 2.2.1 Oppimisprosessi.
＊7―同右、3.1 Perusopetuksen tehtävä.
＊8―文部科学省「小学校学習指導要領（平成29年告示）」、17頁。（https://www.mext.go.jp/content/1413522_001.pdf）
＊9―Helsingin opetussuunnitelma, 3.1 Perusopetuksen tehtävä.
＊10―同右、2.2.1 Oppimisprosessi.
＊11―桜井、同右、１８７―１９０頁。
＊12―Helsingin opetussuunnitelma, 2.2.2 Tiedonkäsitys.
＊13―同右、3.3.5 Tieto- ja viestintäteknologinen osaaminen.

＊14—文部科学省、同右、22頁。
＊15—Helsingin opetussuunnitelma, 2.2.4 Oppimisstrategia.
＊16—文部科学省、同右、17頁。
＊17—Helsingin opetussuunnitelma, 2.2.4 Oppimisstrategia.
＊18—同右、3.3.1 Ajattelu ja oppimaan oppiminen.
＊19—同右、3.3.1 Ajattelu ja oppimaan oppiminen.
＊20—同右、2.2.3 Yhteisöllinen oppiminen.
＊21—同右、2.2.3 Yhteisöllinen oppiminen.
＊22—同右、3.3.2 Kulttuurinen osaaminen, vuorovaikutus ja ilmaisu.
＊23—同右、3.3.2 Kulttuurinen osaaminen, vuorovaikutus ja ilmaisu.
＊24—同右、3.3.2 Kulttuurinen osaaminen, vuorovaikutus ja ilmaisu.
＊25—同右、3.3.3 Itsestä huolehtiminen ja arjen taidot.
＊26—同右、3.3.3 Itsestä huolehtiminen ja arjen taidot.
＊27—Li Andersson, ２０２１年12月15日、ツイッター。

第4章　フィンランドでの出産

検査、出生前診断は無料

「あなたの子宮には、胎児が1人います」

超音波の画像を見た後、私をまっすぐ見ながら男性の医師が言った。妊娠は予想していたが、なんの感情も表さない医師に少し動揺した。「胎児が1人いる」というのは医学的な事実を述べるもので、双子ではないということだろうと思った。医師は続いてクリアホルダーを開いて、高齢出産による子どもの障がいのリスクについて説明を始めた。さまざまな例が、写真や図入りで示されていて気が滅入った。

妊娠したのは、39歳の誕生日を目前にしたとき。医学的に35歳以上での妊娠出産は高齢とされている。つまり遅い。でも、私にとっては遅くない。子どもを持つのは博士論文を終えてから、と夫と合意していた。論文が受理されて程なく妊娠し、この上なくタイムリーなのだった。障がいの可能性はあるかもしれないし、ないかもしれない。どちらの可能性も50%という点では、どの妊娠も同じと思った。

さまざまな障がいの可能性があっても、できることは少ない。羊水検査によって、ダウン症の有無が調べられると言われた。細い針で子宮の中の羊水を採取して、染色体を検査。超音波の画像を見て安全を確かめながら行うが、ごく稀《まれ》には検査自体の危険もあると説明があった。

胎児を失ってしまう危険性もある検査だが、迷った末、検査を受けた。夫は「もし障がいがあったら、育てるのは大変だね」と言っていた。でも私は、結果がどうであれ産むと決めていた。前の結婚で2度流産していたこともあり、もし障がいがあったとしても産んで育てると。

検査を受けたのは、知ることに対する誘惑だった。知ることができると言われれば、知らないでいるよりは知りたいと思う。それは、胎児の性別も同様だった。検査では胎児の性別もわかるので、知りたければ教えられると言われていた。「健康なら、男の子でも女の子でもどっちでもいい」という言葉は、フィンランドでも日本でもよく耳にした。性別がどちらかはわからないまま待ち、生まれてきて初めて知って感動するのが良いという考えも聞いた。私は女の子が欲しいと思っていた。私には母とのまっとうな関係がなかった。女の子を持って、自分の母とは持てなかった関係を持てたらと望んでいた。検査後少したって、胎児に先天性疾患はないと知らせがあった。性別を聞くと男の子だという。それは期待とは違っていたが、知って良かった。男の子が生まれるということを、時間をかけて咀嚼《そしゃく》することができたから。

日本の出生前診断は、フィンランドでは胎児モニタリングと呼ばれる。フィンランドでは、どう受け止められているのだろうか。最近の一つの例として、高校の音楽教師から左翼同盟という政党のアドバイザーに転身し、２０２１年６月の地方選挙でヘルシンキ市議会議員に選ばれたミニヤ・コスケラ（１９８７－）を見てみよう。第４波フェミニストと名乗り、政治的なフェミニズムのSNSで知られるようになった。選挙の少し前に、3冊目の著書『母になること』（2021年）を出版。最初の妊娠と流産、コロナ禍の中での2度目の妊娠と出産について語っている。性別を男女に分けること、性別は性器の形状によって決まると考えることに批判的だ。

　コスケラは、超音波検査を2度受けた。妊娠6週目での初期の検査では心臓の鼓動を確認、助産師と一緒に手足、脊椎、脳、臍帯《さいたい》を見た。うなじの測量もあった。うなじに腫れがある場合はダウン症が疑われるが、それはなかった。1ヶ月後の2度目の検査は体の構造を見るもので心臓、唇、大腿骨《だいたいこつ》、脳、脊椎、指を見た。口唇裂《こうしんれつ》はなく、大腿骨は美しく測量の値は正常だった。2度目の検査を前にしていかに緊張したか、胎児が正常に成長していると知って、パートナーとともにいかに安堵したかを綴《つづ》る。最初は月曜日に予約していた検査だったが、無理を言って前の週の木曜日にかえてもらったほど待たされることを苦痛に感じた。そうした感じ方を責めることはできない一方、ダウン症に加え口唇裂の有無、大腿骨の美しさにも注視したのは優生学的な視線であることはまぎれもない。

　パートナーも同室するなか、麻酔を使った分娩があり、最後の章は子どもに宛てた二人称の手紙で子どもの誕生を語る。この上ない幸福感にあふれ「あなたは生まれた、それがすべて」[*1]で終わるが、子どもの性別は明かされない。コスケラは、従来とは異なる視点から母になることについて書こうとしたと言う。子どもが生まれたときの「男の子？　女の子？」という問いも答えもそこにはない。しかし、子どもに障がいがあるかないかは大きな関心事だった。つまり、結局「健康なら、男の子でも女の子でもどっちでもいい」という従来の考え方と変わっていないことになる。

　ただし、このケースが障がいに対するフィンランドで一般的な態度ではないことはつけ加えたい。忘れられないのは、息子が３歳の夏、エストニアに向かう船の中で見た４人家族。息子と同じ年くらいの女の子がダウン症だった。元気で明るい利発そうな子で、母親が心から愛しんでいるのが伝わってきた。６、７歳の男の子と父親も仲が良さそうで、普通の日常を持ち休暇に出かける家族の風景があった。

　フィンランドで出生前検査は１９７０年代に始まり、２０００年代になって全国の自治体が導入した。ダウン症の胎児を見つけることを目的としている。受けたいと思う人が受ける任意の検査だが、すべての妊婦に開かれている。日本では高額なようだが、フィンランドでは無料だ。国立健康福祉研究所が出した「出生前検査　妊娠している人へのガイド」（２００９年）という小冊子がある。オンラインで読んだりダウンロードしたりもでき、まず最初に、次のように説明している。

「妊娠すると、胎児が正常に発達し健康に生まれてきて欲しいと誰もが願うけれど、それが常に叶うわけではありません。（中略）多くの人は、出産の計画を立てるためにも、胎児に障がいがあるかどうか知りたいと思います。それによって、新生児に必要なケアを用意することもできるでしょう。また、胎児に重大な病気や障がいがあるときは、妊娠の中断を考えることもできます。

出生前診断を受けるかどうかを決める前に、結果がわかったとき、どうするかについても考えておくのが良いでしょう。幸い多くの場合、検査の結果は正常ですが、障がいや病気のリスクがわかることもあります。検査結果が出た後、さらに他の検査をしてみるか、妊娠を続けるか、中断するかについて考え、決めるまでの時間は少ししか残されていません[*2]」

「妊娠の中断」つまり人工妊娠中絶の可能性にもふれ、難しい判断が必要になることに注意を促している。その後、妊娠9週から11週で、妊婦の血液検査。11週から13週で超音波検査と胎児のうなじの部分の腫れを測定。その2つから胎児の染色体の例外を推測など、具体的な検査についての説明になっている。

この小冊子の表紙は、緑の葉に羽を広げてとまる蝶の写真。茶色のベースにオレンジと白の模様があるフィンランドでよく見かける蝶で、美しい夏の一瞬をとらえている。右上に「この小冊子は妊娠しているすべての人に向けたもの。両親が一緒に読んでほしい。検査は任意です」と書かれている。だが、この写真が暗黙に伝えるのは、死や慰めのイメージだ。蝶には、死や死者からのメッセージの意味がある。葉にとまっている蝶は、やがて飛び去っていくだろう。

つまり、検査の結果が思わしくなく妊娠中絶というむずかしい決定をしたときの慰めのイメージを、すでに表紙が発しているようでもある。出生前診断は任意で受けるもので強制ではないが、妊婦とパートナーは受けるか受けないかを考えさせられることになる。検査を受けて異常があった場合、約半数の親が中絶を選んでいる。

日本では、血液検査による新型出生前診断が２０１３年に導入され、２０１９年までの５年半の間に６万人を超える妊婦が受けた。異常があったのは約８９０人で、そのうち約９割が妊娠中絶をしたという。

中絶・避妊の選択肢が多い

ここでは、人工妊娠中絶一般についてふれたい。フィンランドでは、２０００年から薬による中絶が可能になり、現在は97・7％の中絶が薬によってなされている。まず、経口剤（ミフェプリストン）を飲み、１、２日後に膣錠《ちつじょう》（プロスタグランディン）を使う。同時に鎮痛剤を飲む。２時間ほどで、普通の生理より多い出血が始まる。月経痛のような痛み、または足がつったときのような痛みがあるという。部分的には自宅でできる。医師のすることは超音波によって妊娠を確認することと、家で中絶薬を使った後の処置である。

中絶して終わるわけではなく、その後の避妊も大事だ。必要な場合、中絶後すぐにピルの服用を始める、またIUS（子宮内避妊システム）を装着することが勧められている。最近、日本でミレーナとして知られ始めたのはIUSの一つだ。日本では、現在もコンドームが主流で、避妊の方法が非常に限られていることが最近になって知られるようになった。フィンランドでは中学と高校でリングや避妊シール、低用量ピル、皮下インプラント、IUD（子宮内避妊具）などさまざまな避妊について学ぶ。自分にあった避妊法を選ぶために、いろいろな方法を知るのが良いと考えられている。また、互いを尊重すること、避妊には双方が責任を持つこと、妊娠は女性の負担になるのでパートナーがサポートすることなども教えている。

日本では、そうした性教育はないまま大人になる。人口妊娠中絶で中絶薬は使われておらず、金属製の器具で子宮の内容物をかき出す「搔爬《そうは》法」と管で吸いとる「吸引法」が主流だ。世界では廃止されて久しい、女性に苦痛を与える懲罰的な中絶で、さらに麻酔も使わないことが多い。WHO（世界保健機関）によると中絶薬の値段は約740円だが、日本の中絶手術の費用は10万～20万円。また、日本では中絶に男性の同意が必要で、レイプによる妊娠であっても男性の同意が求められる。現在、同意を法的に規定しているのはインドネシア、サウジアラビア、イエメンなどの11ヶ国・地域のみ。国連女性差別撤廃委員会は、2016年に配偶者の同意要件の撤廃を日本政府に勧告している。２０２１年９月には、中絶に配偶者の同意規定の廃止を求めて、日本の市民団体が４万人を超える署名を提出した。

２０２２年１月現在、日本では２社の緊急避妊薬が承認されているが、受診が必要で健康保険の対象にならず高額だ。緊急避妊薬はアフターピルとも呼ばれ、避妊をしないで性交した、コンドームが破けるなど避妊に失敗したときに用いられるが、産婦人科医などの団体は、緊急避妊薬の市販には「慎重」だという。２０１７年の厚労省有識者会議などで委員の医師から、若い世代が安易に入手できると乱用につながるという意見が出た。利権がからんでいる可能性もあるが、高齢男性医師の意見が幅をきかせているのが現状だ。

避妊の歴史的な経緯

中絶と避妊には、密接な関係がある。中絶を避けるためにより確実な避妊が必要であり、フィンランドではさまざまな女性の避妊法が使われてきた。避妊と中絶のあり方に大きな変化が起こるのは60年代後半だ。１９４１年に、フィンランド家族連合という人口政策に携わる組織が設立され、避妊を普及させて中絶を避けるなど、結婚したカップルに家族計画を指導した。ペッサリーが、最初の女性の避妊法として使われるようになったのは50年代。60年代になってピルとＩＵＳ、ＩＵＤが導入されると、ピルの使用はすぐにペッサリーを追い抜いた。60年代は性の規範がうるさく、女性は1人ではレストランに行けなかった時代だ。女性の婚前交渉と婚外交渉は中流階級以上では認められていなかった。

当初は処方箋が必要だったピルだが、1962年に処方箋は不要になり薬局で販売されるようになった。60年代半ばには結婚したカップルの最も一般的な避妊法であり、産婦人科医も勧めるものになった。70年代になると大人へ、80年代以降は10代、20代の若い人へと広がっていった。現在は、15歳から50歳の女性の約4分の1がピルを使っているといわれる。

70年代にはコンドームが薬局、スーパー、バーなどで売られるようになり、自動販売機も登場したが、フィンランドでは女性の避妊の方に選択肢が多かったことになる。それは、女性への負担が増えることでもあるが、男性への依存が減ることでもあった。

この頃の特筆すべき出来事として、当時の社会を批判しリプロダクティブライツを求めた、アソシエーション9という市民組織の設立(1965年)がある。批判の対象になったのは、家族の存続を重視して結婚している男女間の性交のみを認め、避妊と中絶を罪とみなす教会。また1941年に創設された、フィンランド家族連合が提供する結婚相談や家族計画も、男女のジェンダー規範やそれに基づいた生き方、子育てを推進するものとして批判していた。アソシエーション9が求めたのは、婚前・婚外交渉の容認、ホモセクシュアルとレスビアンの容認、同性愛と中絶に関する法律の改正、無料の避妊、科学に基づいた性教育、父親の育児休暇、労働と賃金の平等など幅広い。男女どちらもが規範にしばられるのではなく、経験の範囲を広げ、個人として自分を実現することはより大きな目標だった。

その中でも、中絶は盛んに議論された。１９５０年の中絶法は医学的、社会的な理由による中絶を認め、女性が未成年の場合、レイプや近親姦《かん》による妊娠の場合、出産が肉体的精神的に危険と判断される場合などの中絶を合法としていた。しかし、女性が中絶を望んだ場合、その理由について厳しい視線が向けられた。

場所と階層による差もあった。都市に住む中流階級の女性はピルなどを得やすいが、地方の女性や労働者の女性には得にくく、避妊は男性に頼らざるをえない。また、地方では合法の中絶を受けられる病院が少なかった。中絶法は女性を犯罪者にしてしまい、社会的な不平等を作る。また非合法の中絶が増え、女性が健康を害する危険もある。避妊に関する議論では、女性が自分で中絶について決定する権利と、子どもが望まれて生まれてくる権利が主な論点になった。

アソシエーション9の当初の会員は、約２５０人。そのうち約70人は男性だった。つまり、女性のみのフェミニスト組織というわけではなかった。他の北欧諸国同様、フィンランドでは中絶の自由化を求める別の女性運動は起こらなかったという。自由な中絶への議論では、あくまでも女性の働く権利と社会的、地域的な平等を確保することの方が、女性の身体的な権利よりも重要なものになったと、社会学者で東フィンランド大学教授のイルポ・ヘレーンは論じている。アソシエーション9は時期的、また主張の内容的に第2波フェミニズムに位置づけることができる一方、英語圏のフェミニズムとは異なる特徴を持っていた。また、1970年には解散している。

1966年の国会選挙で、左派が勝利。新政権は、翌年4月に中絶委員会を設けて討議を行い、1970年に中絶法が改正された。そこでは「社会的理由」による中絶がそれまでの16週から12週までに短縮された。また、社会的理由の規定は、男女の平等と女性の身体に関する権利、および自己決定権を保障するものに変わった。家庭や経済的状況、学業や仕事、将来への影響、人間関係、女性の年齢、配偶者と他の子どもの年齢、精神的な成熟度、病気その他も理由として認められるようになった。ただし、改正前の法律にあった申請と認可という手続き、また医師が監視する権限は残された。

70年の中絶法以降は、非合法の中絶が減り合法的なものが増えた。同時に、避妊しなかったために妊娠した場合の中絶が問題視され、ネウボラや学校での適切な指導が求められるようになった。ネウボラは社会保健省が管轄、自治体が提供する母子の健康や性に関する指導を行う機関である。中絶ではなく避妊が優先であり、避妊の手段としての中絶ではない。さらに避妊方法の啓蒙だけではなく、より広い人間関係の中にセクシュアリティを位置づけるような性教育が必要と考えられるようになった。

ネウボラでのケアと、小中学校での科学的で公正な知識に基づいた性教育は、「より自由で責任のあるセクシュアリティの福音」[3]を全市民に伝えることになった。啓蒙や指導、教育が推進するのは、それぞれの人が自分のセクシュアリティを肯定しつつ、責任ある性行動をとること。重要なのは性的な自己決定権であり、セクシュアリティは私的かつ人それぞれ異なるという認識だったとヘレーンは論じている。

こうした問題に関して、政府委員会がいくつも作られ議論された。「人は自分と他人のセクシュアリティを自然で個人的、幸福で人格を豊かにするものの一つとして体験する。永続的で温かい人間関係をつくり、維持するものとして。自分の性生活を幸福でバランスのとれたものとして」という見解は、ある委員会が出したものだという[4]。人の一部であり、人を幸福にし、インテグリティ（自分を完成させるもの）としてのセクシュアリティ。ヘレーンは、こうした考え方を「リベラルロマン主義」、「リベラルな倫理のヘドニズム（快楽主義）」と評している。インテグリティという概念については第3章でふれた。

右で引用したように、ヘレーンは「より自由で責任のあるセクシュアリティの福音」という表現を使っていて、こうした考え方に福音ルター派の影響も感じているようだ。福音ルター派は、フィンランドで主流のプロテスタントのキリスト教で、それについては、第6章でより詳しく見たい。

セクシュアリティの問題は、当初男女間の結婚と核家族を想定したものだったが、次第にその範囲を広げていった。フィンランドで、ホモセクシュアルが犯罪でなくなるのは１９７１年。その後も１９８１年までは病気とみなされていたが、同性愛をセクシュアリティのあり方の一つとして理解していく方向は、60年代の社会運動が引き起こしたものだ。現在のＬＧＢＴＱやレインボーファミリー、クローバーファミリーなども、そこから導き出せるセクシュアリティと家族の形である。レインボーファミリーは少なくとも親の一人がＬＧＢＴＱの家族、クローバーファミリーは３人、または４人の親と子どもの家族だ。新しい動きには、常に教会の反発と抵抗もあるのだが、多くの議論を経て社会が変化し続けていくあり様は興味深い。

１９７０年の中絶法は、50年を経てすでに古くなり現実にあわなくなっている。現在は、フェミニストユニオンという組織が中心になり「自分の意思２０２０」という名前の市民イニシアティブを通して、中絶法の改正を求めている。市民イニシアティブは市民による政策の提案で、６ヶ月以内に最低５万筆の署名があった場合、国会で取り上げなければならない。２０２０年９月23日に始められた「自分の意思２０２０」は、最初の１日で１万２０００筆以上の署名を集め、１月足らずで５万筆を達成。一般市民に加え助産師、産婦人科医、医師も支援している。署名は、２０２０年12月に国会に提出された。コロナ禍によって、審議が遅れたが２０

２２年には承認される見通しだ。

このイニシアティブは、すべての女性には欲しい子どもだけを産む権利がある、すべての子どもは望まれて生まれる権利があるという考えに基づいている。現在の法律は２人の医師に会うこと、中絶が病院で行われることを求めている。しかし、現実にはほとんどが薬による中絶が行われているので、病院以外でも可能にすること、医師２人に会う必要をなくすこと、つまり中絶の脱医療化を求めている。実際には、法律はゆるく解釈され、妊娠12週以内のすべての中絶が認められているが、法律は中絶の理由を述べる必要があるとしている。しかし、すでに他の北欧諸国では、理由を述べる必要はなくなっており、フィンランドでも同様にすることが目指されている。

日本の妊婦の、厳しすぎる体重指導

妊娠中は、ネウボラに定期的に通っていた。ネウボラは妊娠している女性の健康、家族のウェルビーイングと支援、胎児の健康と発達、子どもの成長と発達、子どもの歯の健康などを就学前までフォローする。避妊のネウボラ、成人のネウボラなどもあるが、母のネウボラは最近、日本でも知られるようになり、それを設ける自治体もあるようだ。ネウボラに勤めているのは、ほぼ全員女性。感情を表さない医師のような人はおらず、ポジティブな感情を持って接してくれた。心配しているときは「大丈夫よ」と元気づけてくれ、嬉しいときは、一緒に喜んでくれるというふうに。胎児の心臓の鼓動を聞いたときの驚きは今も覚えている。

妊娠中は、自分の身体の中の他者性を感じていた。自分の内部で起きていることを知ることはできない。意に反するようなことも平気で起きてしまう。胎児という別のヒトも自分の中で育っている。妊娠後期になると胎児が子宮の中で体の向きを変えることがあり、強烈な感覚を伴う。自己と他者は相対するのではなく、自分の中に無数の他者がいると感じていた。

妊娠中はあっという間に体重が増え、半年後には15キロ、出産直前には20キロ近く増えていたのだが、ネウボラで特に問題とは言われなかった。検査では特に問題がなく、さまざまなケースと個人差があるからと。まして、食事制限や体重チェックが必要と言われたことはない。むしろ、ストレスや心配を避けて暮らすように言われた。

日本では、妊婦の厳しい体重管理と指導が行われてきた。体重の増加は７、８キロまでと言われ、食べたいものも食べられず大変だった話を日本の友人から聞いたことがある。厚生労働省は、２００１年に母子の健康水準の向上を目指す国民運動「健やか親子21」を開始。日本産科婦人科学会も加わって、ＢＭＩ（身長と体重の関係を表す体格指数）の指標を作り妊娠中の女性の体重を制限してきた。その結果、体重２５００グラム未満の低出生体重児が「約40年間で１・８倍と先進国では異例の事態が続いて」いるため、新たな指標を設け、従来よりも増量を促すという。[*5] 日本の女性たちの身体が、いかに管理され制限されているかを示すもう一つの例だろう。

手ぶらで入院できる

予定日が近づいても何も始まらず、心配だった。病院に行くと2週間待って、何も起きなかったら入院し陣痛促進剤を使うことになった。何も起きない2週間が過ぎて病院に行くと、下剤を渡されトイレに行くよう言われた。ヒトは、血液と糞尿にまみれて泣きながら生まれてくるのは厳粛な事実である。痛みが強い場合は麻酔の脊椎注射ができる、必要な場合は会《え》陰《いん》切開をするかもしれないという説明があった。ハサミで切った方が自然に裂けるよりも回復が早い。出産後縫合するが、糸は自然に溶け傷の痛みも徐々になくなる。必要なら鎮痛剤を飲むが、別途のケアは必要ないということだった。

分娩中は痛みがあるか何度も聞かれ、あると言うと脊椎麻酔をしてくれた。約13時間かかって誕生。大きな洗面台のようなスペースで赤ちゃんを洗い、布に包んで渡された。夫も同室していた。入院していたのは3日。フィンランドの出産での平均入院日数は2・7日だ。出産に限らず、大きな病気でも入院の期間は短い。また、出産のために里帰りする習慣はない。夫やパートナーも育児をすることは当然なことなので、実家に帰る必要がない。分娩にかかる費用は分娩中の問題の有無、帝王切開、分娩後の処置等によって異なる。日本では麻酔を使った分娩はとても高いが、フィンランドでは麻酔をしても値段は変わらない。

フィンランドでの入院は、手ぶらでよいのでとても楽だ。寝間着や着替え、タオルなどすべて病院が用意していて自由に使える。汚れたら蓋つきのカゴに入れ、新しいものが必要なときは廊下に置かれている大きなカートから持ってくる。何も持参しなくていいので、当然すべての持ち物に名前を書く、家に持ち帰って洗濯するなどの手間もない。入院患者と家族が楽であることを考えたシステムで、ケアの実践が「ケアや注視を必要としているひとの立場から出発[*6]」していることを感じさせる。

麻酔を使った出産がふつう

フィンランドでは、麻酔を使った出産が一般的だ。２０１９年の経膣出産では、92・８％で麻酔が使われている。出産時の麻酔が広がったのは１９８０年代。90年代に一般化し、99年には初産で60％の人が麻酔を受けていた。左ページのグラフは、１９９９年から２０１９年までの間の麻酔を使った出産の割合を示している。

出産のプロセスは子宮口が全開するまでの第1期、胎児が子宮から降りてきて娩出《べんしゅつ》するまでの第2期、胎盤が排出される第3期に分けられる。出産時の痛みは第1期、子宮の筋肉の強い

麻酔を使った出産（1999〜2019年）

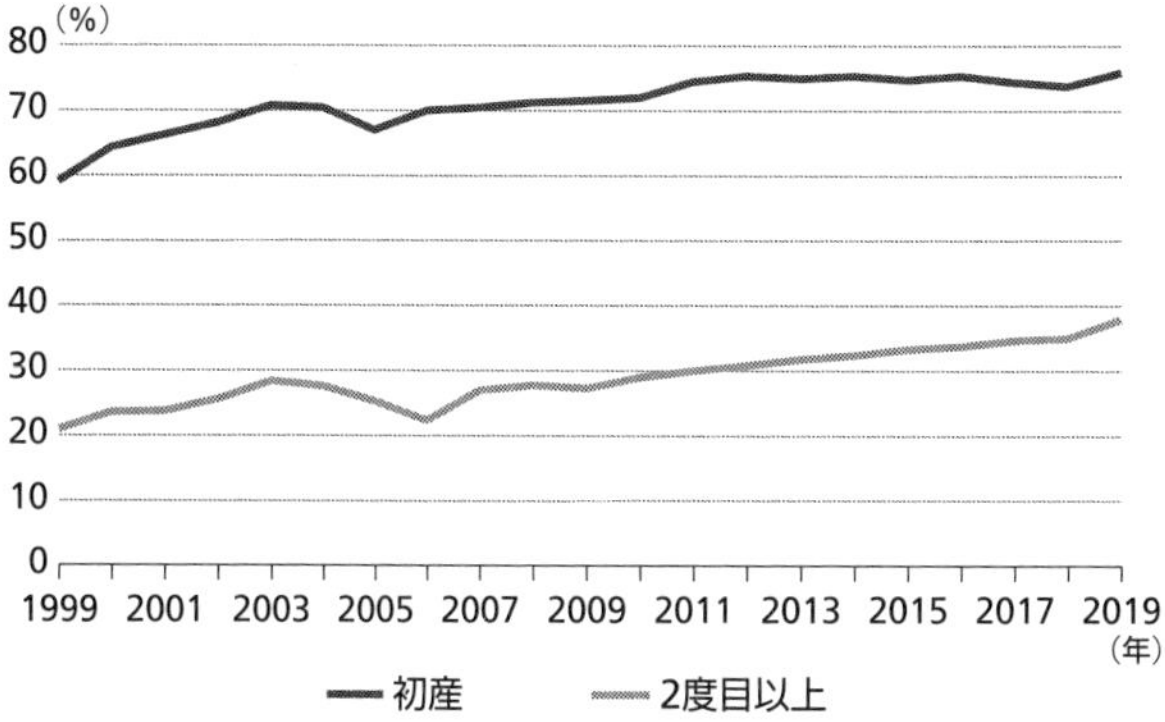

Source: THL. Tilastoraportti 48/2020.

収縮と子宮口を開くための筋肉の伸びによって起こる。第2期では、力んで胎児を娩出する衝動が起きる。麻酔が使われるのは第1期。フィンランドで最も一般的に使われているのはエピドラルという薬で、痛みが強くなり産婦が希望したら麻酔医が脊椎に注射する。分娩時に感じる痛みの平均は、骨折や末期ガンの痛みと同程度だという。

麻酔のメリットは、分娩の異なる段階で使える、痛みが収まらない場合は追加できることなどだという。デメリットは分娩が15〜30分程度長引くこと、うまく力めなくなることがあること。ごく稀に事故はありうるが、メリットの方が大きい。

日本では、麻酔を使った出産は「無痛分娩」と呼ばれている。英語圏でも同様だが、フィンランドには「無痛分娩」という言葉はなく、「出産時の痛みのケア」「出産時の医学的な苦痛軽減」「エピドラルを使った出産」のように呼ばれる。痛みの感じ方は、人それぞれ違う。無痛分娩は女性が無痛と感じたからつけられた名ではなく、むしろ女性の視点はない名称と思われる。最近は「和痛分娩」という表現もある。痛みをなくすのではなく、和らげるという意味で「和痛」という言葉が使われているようだ。出産に恐れを感じる女性は多い。麻酔には痛みだけではなく、不安や恐れを和らげる意味もある。出産時に夫やパートナーがともにいるのも、出産時のケアの一つだ。安全な出産のためのケアには、痛みの医学的な軽減も含まれなければならない。日本で分娩時の麻酔は普及しておらず、麻酔医も少ない。日本産婦人科医会が２０１７年６月に実施したアンケート調査によると、すべての分娩中、麻酔を使ったのは６％である。２０１７年春以降、大阪府や京都府などの診療所で事故が相次いで発覚した。同年８月、厚生労働省内に研究班が立ち上がり、無痛分娩の実態把握や安全構築に向けた提言をまとめる方針だが、まだまだ時間がかかると報道されている。日本では、麻酔を使った分娩による母の死亡事故もしばしば起きている。

日本の分娩は、60年代のフィンランド

フィンランドで、出産時に麻酔が使われるようになった経緯を見てみよう。

１９２０年代にネウボラが導入されると衛生、清潔、近代的な出産が重視されるようになり、

次第に自宅での出産から病院での出産へと変わっていった。ただし、助産師は消えなかった。現在も職業学校があり、1898年に設立されたフィンランド助産師同盟も活動を続けている。

病院での出産が急増するのは戦後。60年代には痛みへの対処として、鎮痛剤の筋肉注射やエーテルのマスクが使われることもあったが、主流になったのは呼吸法である。出産時の痛みは恐れによるものであり、呼吸法を練習し習熟することによって痛みをコントロール、苦痛を感じずに出産できると考えられた。60年代半ばには、助産師学校で呼吸法が教えられ、80年代まで続けられていた。分娩の始まりでは深い呼吸、子宮が収斂《しゅうれん》を始める時期は短く浅く、はあはあと息を切らす。筋肉をリラックスさせることも学ぶが、長期にわたる練習が必要だった。また、呼吸法で苦痛をなくすことはできなかった。

70年代になると、苦痛を和らげるための麻酔が要求され始めた。「月に飛行し、心臓が移植される時代に、出産する母は相変わらず痛みで叫ぶだけ。もし男性が出産するのだったら、どうなっていただろう」という投書が新聞に掲載された。夫は自分の歯が痛いと大騒ぎだが、妻が出産で苦しんでも知らん顔。誰も麻酔なく手術や医学的処置は受けないのに、なぜ出産時に麻酔がないのかが議論され、女性の痛みだから処置は不要と考えられてきたことが明らかにされていった。[*7]

麻酔が安全なケアとなることは明らかだったが、産科を専門にする麻酔医が当時は少なかった。出産時の麻酔に関する研究も必要だが、研究費や研究の方向を決めるのはほぼ男性。女性が社会のトップに必要なことが痛感された。とはいっても、１９７７年には国会議員の約25%が女性で、女性全員が署名した質問状が国会に提出された。当時の社会保健大臣も女性で、安全な出産と苦痛の軽減に賛同し、現状の調査に乗り出した。また、産科麻酔医と特別な看護師のポジションを作るための委員会が結成された。

　分娩時の麻酔の普及には、自身が麻酔科の医師で、分娩時の麻酔を普及させるため１９８３年から国会議員を務めたリーッタ・ヨウッピラ（１９４０－）の存在も大きい。ヨウッピラは、出産時の痛みの緩和、産科麻酔科医と専門的な看護師のポジションを作る予算の計上などを目指して、１９８３年に国会議員に立候補して当選。２年後の１９８５年には予算をつけ、１９９５年までの３期12年の間に麻酔を普及させた。ヨウッピラが当選した１９８３年の国会議員の女性の割合は、30%近い。女性の問題を解決するためには、女性の政治家が必要であることを示す例の一つである。

　フィンランドでは60年代に呼吸法が盛んだったが、現在はそれほど盛んではない。ただし、リラックスすることとイメージトレーニングは有効と考えられていてマタニティヨガは人気がある。日本では、現在も呼吸法が実践されているようだ。麻酔は使わず、呼吸法が主流という現状は、60年代のフィンランドということになる。出産時の痛みのような問題も、政治的課題であることがもっと知られるべきだろう。

会陰切開と姿勢

会陰切開も、フィンランドでは政治化された問題である。会陰は男女にあるが、女性の場合は外陰部と肛門の間のエリアを指す。出産の直前に、膣から右側の臀《でんぶ》部の方向に向けて斜め下にハサミで切開する。それは出産児の安全のため、また母体にとっては複雑な亀裂を防ぎ、傷の回復が早いと説明されてきた。切開はルーティーンのようになり、出産にはつきものと考えられるようになった。

歴史的には、会陰切開は１８００年代から行われていたという。１９８０年代でも、助産師は必要のあるなしにかかわらず当然のこととして切開していた。しかし、１９８０年代に会陰切開は女性の身体への侵犯として問題視され、政治化されるようになった。医療の名による出産時の暴力であり、自己決定がしにくい状態で女性の身体の権利を侵す医療文化として批判されるようになったのだ。技術的には助産師が手や指を使ってサポートすることによって、切開しなくてもよい場合もあり、すべての出産で必要なわけではない。同時に、医学的にも会陰切開の必要性が再考された。ハサミで切開したから複雑な亀裂が避けられるわけではなく、むしろ肛門収縮筋を破損してしまうこともある。また、出産時に会陰と膣に自然にできた小さな亀裂は、ハサミによる切開よりも苦痛が少なく治癒するケースがあることもわかった。

　女性の身体への侵犯、自己決定権の侵害という視点からの議論は、女性がよりアクティブに出産に関わろうとする動きの中で起きた。病院の中の上下関係、権威を持つ医師、病院の決まり、出産のための決まった医療器具。そうしたものの中で妊婦は指示に従い、自分の身体にされる介入を受け入れ、それを産科医療の現場での暴力と見る視点はなかった。しかし、従来の出産のあり方や病院の慣習が疑問視され、どう産むかに女性が関わりたいという大きな変化があった。女性の社会的地位の向上につれて、出産時の女性の身体に関する権利も増大し、次第に産院でのケアのあり方を変えていった。長年、助産師を務めたラウラ・コソネンは、著書『フィンランドは産んだ』（２０１９年）でフィンランドの出産の歴史をフェミニズムの視点と助産師としての体験から書いた。出産に関する問題は女性の人権、参加する権利、自己決定権の視点から進んできたとしている。

　国立健康福祉研究所は、出産時の処置として先にあげた麻酔の他に、会陰切開についても統計をとっている。それによると、過去20年の間に会陰切開は半減している。１９９９年には帝王切開ではない経膣出産で会陰切開は42・6％だったが、２０１９年は21・3％である。

　会陰切開は、国際的にも取り上げられた問題だ。ＷＨＯ（世界保健機関）のヨーロッパ地域事務局およびアメリカ地域事務局は、１９８５年にブラジル・フォルタレザで「適切な出産のテクノロジー」会議を開いた。助産師、産科医、婦人科医、医療関係者、社会学者、心理学者、経済学者など60人が北米、南米、ヨーロッパから参加。すべての女性は適切な出産前のケアを受ける権利があること、ケアの計画、実行、評価に関して女性が中心的な役割を持つことなどの勧告を行った。その中で、一律に会陰切開を行うのは適切ではなく、他の方法による会陰保護を実施した上で、なお必要となる場合に行うことを求めている。フィンランドで80年代に会陰切開が問題化されたことには、こうした背景もあっただろう。女性の権利を中心にすえた出産のあり方が勧告されていた。

実際、不要な会陰切開は、女性性器切除（ＦＧＭ）を連想させる。女性性器切除は１９７０年代以降、欧米で問題視され始めた。ＷＨＯは、女性にとって健康への利点がまったくない非医学的な理由による女性性器の部分的あるいは全部の切除で、少女と女性の人権侵害としている。多量の出血、感染、排尿や出産の困難などのリスクを高める。幼児期から15歳頃までの少女が対象になることが多く、現在、アフリカ、中東、アジアの30ヶ国以上で2億人以上の少女と女性がこの経験を持つといわれる。伝統や通過儀礼などと説明されることが多いが、実際は女性の性的なコントロールを目的にしている。出産時の会陰切開とはまったく異なるものである一方、女性性器に対する暴力であるという点で共通点を見ることも可能と思われる。

日本で、会陰切開に関する議論はほとんど聞かない。女性たちは、さまざまなことについて

「こういうものだ」と思わされてきていて、人権侵害や暴力と感じることができない。それも女性差別であることに気づく必要があるだろう。

ラウラ・コソネンはベッドで横になって産むことに反対で、産むときの姿勢についても書いている。家で出産していた時代、痛みがあると体を動かしたり歩いたりは普通で、膝立ちの姿勢での出産が一般的な地方もあったという。配偶者が近くにいることも珍しくなかった。暖かいサウナは骨盤を柔らかくして出産を楽にすると考えられており、サウナで出産することもあった。しかし、衛生思想と近代的医療が台頭し、次第に家での出産から病院での出産に移行すると、病院という権威の中で医師の指示通りにしなければならなくなった。

体は起こして力んだ方が、力が入れやすく産みやすいのだが、病院の規律と規則によってベッドで横になって出産しなければならなくなった。しかし、だからといって過去に戻るのが良いとは考えない。コソネンは、新しい出産のあり方として、体を起こして子どもが生まれ出てくるところを鏡で見た１９８８年のケースをあげている。母親は、痛みや不安だけではなく大きな喜びを感じることができた。それは、ベッドに寝たままで助産師のいいなりでいるのではなく、よりアクティブに出産に関わる一つのあり方だったとしている。

70年代に父親は出産に立ち会うように

私が出産したとき、夫やパートナーが同室するのは普通だった。夫やパートナーがいない場合は、家族や友人に来てもらってもよい。安心できる人がそばにいて、精神的な支えになることが目的だ。新生児はさっと洗って布に包み、母の胸に。誕生後すぐに母と接触し、家族を中心にした出産が現在のスタイルだ。

しかし、60年代は異なっていた。出産後、新生児は母親からすぐに引き離され、母が抱くことはなかった。専門的な知識は病院が持っていると考えられていて、病院がケアするので、助産師がよそに連れていってしまう。授乳は助産師が管理していて、4時間おきに授乳のために母親の元に連れてくるが、30分ほどすると再び連れ去っていった。

父親が出産に立ち会うことはなく、初めて我が子を見るのは、乳児室のガラス越し。父親が、赤ちゃんの世話に加わることはなく、その後の育児は母親の仕事だった。

17、8世紀頃のヨーロッパの絵画に、全身を布でぐるぐる巻きにされて出しているのは顔だけ、細長い小包のようになった赤ちゃんが描かれていることがある。そこまできつく縛るようにではないが、フィンランドの病院でもほぼ同様の手足の自由を奪う包み方がされていた。手足をばたつかせることなく落ち着く、世話もしやすいと考えられていた。包むのは常に助産師。退院して家に帰るまで、おくるみを1度も開けたことのない母親も多かったという。

出産時に父親がつきそうことについて議論され始めたのは１９６０年代末で、男女平等が議論され始めた時代である。しかし、反対する助産師も多かった。出産を見たら、父親は性欲を失ってしまうともいわれたという。70年代になると父親の同室が始まり、80年代には40％に増えた。こうして出産は、次第に両親が共有する経験として再定義されていった。父親の育児参加は、その延長上に出てきた考え方である。両親の平等という観点から、父親にも育児休暇が必要と考えられるようになり法制化されていった。

産む人にとって心地よい出産

フィンランドは全国を21の医療ケア圏に分けている。その一つ、「ヘルシンキとウーシマー県の医療ケア圏」の出産過程についての説明を見てみよう。とても詳しい説明で、ここにあるのはその一部。あなたを主語として二人称で書かれている。

「病院には子どもの父、配偶者、その他親しい人と一緒に来ます。居心地の良い服で、軽い食べ物を持って来るのがよいでしょう。（中略）サポートする人は体をさすったり、励ましたり、手を握ったり。そこにいることで、気持ちをほぐしてくれます。（中略）出産に関する希望について、また痛みの緩和の色々な選択肢について助産師と話します。子宮口が全開するまでに、何時間もかかることがあります。居心地の良い楽な姿勢を探し、音楽を聞いたりしてリラックスしましょう。自分のクッションや消化の良い小さなおやつを持ってくるのもよい。痛みの緩和は、あなたの希望と必要に応じて受けられます。（中略）子宮口が完全に開き（10センチ）、子どもの頭やお尻が下がって来ると、力む段階が始まり、強い圧迫感と力む衝動が30分から90分位続きます。色々な姿勢で力んでよく、そこに到るまでの間にリラックスできる姿勢を見つけておくとよいでしょう。補助の道具としてマットレス、大きなボール、スツールなどを使えます。助産師が助けてくれ、サポートの人も手を貸すことができます[*8]」

軽食やおやつ、音楽、自分のクッション、補助の道具。さまざまな変化を経て、現在は産む人にとっての心地よさを中心に考えた出産になっていることが感じられる。

昔は乳母を雇うこともあった

妊娠中から、ネウボラで「母乳が一番いい」と聞いていた。また、何気ない会話で、周りの人が「母乳が一番いい」と口にするのをよく耳にした。母乳が望ましい、選択肢としてあるのではなく、「一番いい」というのはイデオロギー的なものを感じた。フィンランドでは基本的に、何がいいと思うかには個人差があると考える。他のことについて「これが一番いい」と言われたことはない。「一番いい」というのは母乳が出ない人、仕事などの理由で授乳がむずかしい人、授乳に消極的な人などへのプレッシャーになりうる。

母乳に含まれる物質は、新生児や乳児に抵抗力を与えるといわれる。それは医学的根拠によって説得しようとするものだが、母乳でなければ抵抗力がつかないわけではない。さまざまな理由で「代用ミルク」を使う人、使わざるをえない人もいる。そもそも出産後、すぐに母乳が出るとは限らない。病院でも代用ミルクを使っている。また、歴史的には乳母という存在があり、産んだ母にかわって子どもに乳を与えていた。

アメリカの科学史とジェンダー研究者のロンダ・シービンガーは、『女性を弄ぶ博物学―リンネはなぜ乳房にこだわったのか』（1996年）で、子どもに乳を与えることを基準にして「哺乳類」というカテゴリーが出現してくる社会的背景を論じた。スウェーデンの博物学者カール・リンネ（1707‐1778）は世界を動物界、植物界、鉱物界に分け動物界をさらに分類した。「哺乳類」は、動物界のカテゴリーの一つだ。リンネの時代、それまでのように乳母ではなく母が自分の母乳で子どもを育てることが、望ましい家庭のあり方として主張されていた。それは、中流のブルジョワ（市民的な）家庭である。母乳を与えることを良しとする考えは、時代のイデオロギーを濃厚に反映しながら出現し、動物の分類法にも影響を与えていた。

フィンランドで母乳がどう考えられていたかを知るにあたっては、アルヴォ・ユルッポ（1887‐1992）という医師が書いた『幼児を世話し食事を与える母』（1918年）が参考になる。母に向けて書かれた小さな本だ。ユルッポはドイツで医学を学び、1920年代にフィンランドのネウボラ創設に関わった人物である。

「子どもの母自身が養育するのが、多くの場合自然にかなっている。（中略）最近、自分で授乳することが、少しずつではあるがより広い階層に広がってきた。（中略）自分の母乳が子どもの正常な成長にとって最良の保証であることを知って、すべての母親は自分で授乳する意思を持たなければならない[*9]」

必ずしも母自身が子どもを育て、授乳していたわけではなかった。

「授乳は最初多くの困難をもたらし、母に完全な献身と犠牲を求めるが、それは報われる苦労である」としていて、具体的な助言をまとめると次のようになる[*10]。出生後12時間から24時間たって、初めて授乳する。1日5回授乳し、それぞれ20分は超えないようにする。4時間おきに決まった時間に与える。たとえば、朝6時、10時、午後2時、6時、10時に授乳し、夜は母も子も眠る。時間は、家の状況によって変えてもよいが、決まった時間にすれば母は家の用もできる。

かつては乳母がいた。乳母というのは、どういう人だったのだろうか。

「乳が出なくなった場合は、人工栄養にするか乳母を雇う必要がある。乳母を雇うことに頭ごなしに反対する人たちがいるから、乳母を雇ってはいけないのではない。しかし、健康で裕福な女性が楽をするため、また乳母を雇う経済的余裕があるという理由で雇うことには反対すべきだ[*11]」

乳母を雇うことについては、葛藤があった様子がうかがわれる。

「乳母を雇う時は、必ず医師の助言を聞かなければならない。（中略）仲介所や助産婦などの推薦だけの乳母は、決して雇ってはならない。乳母が住み込む時は、できるなら乳母自身の子どもも一緒に連れて来て住むのがよい。その子も自分の母のケアを受けるからというだけではなく、乳母の乳を与えられる子どもにも利益がある。（中略）もし授乳するのが、生まれて間もなくあまり乳を吸わない子どものみになった場合、それまで出ていた量の乳は出なくなる。乳母の子どもが、それまでのように乳房が空になるまで吸わないと、作られる乳の量が減り、次第にまったく出なくなってしまう。すると乳母を解雇し、新しい乳母を雇うことになり、それを繰り返していく。そのようにして、乳母と乳母の子どもの関係を壊してしまうのみならず、母乳を奪われてお腹《なか》をすかせたり、病気になったりする。しかし、乳母の子どもも家族に迎えると、その子も飲むので、乳母の乳房が空になることはない[*12]」

つまり、乳母には同じ年頃の乳飲み子がおり、その子も住み込むことが良いとされていた。授乳は生後８ヶ月から10ヶ月間行うが、母乳は２〜４ヶ月程度で出なくなることもある。その場合は、薄めた牛乳やオーツ、大麦、米などの重湯といった母乳に代わる人工的な栄養についても書かれている。それは哺乳瓶で飲ませるのだが、胸から与えるより手がかからないとしている。新生児や乳児に乳を与えるのは当然の行為のようでいて、実は単純ではなく、手のかかることだったとわかる。

この本は、１９１８年に最初に出版された後、50年代にも重版されており40年以上読まれていた。著者のユルッポは非常に尊敬されていて、２００４年には「１００人の偉大なフィンランド人」の一人に選ばれた人物だ。１９９２年に１０４歳で亡くなったときは、国葬が営まれた。

母乳VS代用ミルクの歴史

50年代になると工業的に作られた粉ミルクが出回るようになった。それは、病院や産院での出産が普及した時期と重なる。母乳が足りないときなど病院でも使われ、粉ミルクは清潔で管理しやすく近代的、母乳は古いと思われるようになった。哺乳瓶で粉ミルクを与えれば、どのくらい飲んだかも正確にわかるが、母乳ではまったくわからない。60年代は、最も母乳での授乳が減った時期である。産後、新生児はすぐ母親から離されて助産師が世話をする。４時間おきに助産師が新生児を母親のところに連れてきたが、母乳での授乳は特に奨励されていなかった。出産後の母は、充分な休息が必要とされており、生まれてすぐのときから母子の緊密な関係が必要という考え方はなかった。

70年代は女性が賃労働に出ていった時期だが、産休も育児休暇もまだ短かった。すでに水に溶いてあってすぐに使える液体ミルクの発売は１９７３年。モダンな女性はそれを買う。母乳より優れていると考えられるようになったが、小児科医やネウボラが液体ミルクに反対することもあった。母乳について研究され、母乳を進めるキャンペーンが起こされ、１９７１年には7%だった母乳派だが、83年には半数が約半年間母乳で授乳するようになったという。

80年代になると、新生児を母親から引き離すのではなく、生まれるとすぐに母親に抱かせるようになった。新生児は、子宮の外というまったく異なる環境に適応しなければならない。母と肌の触れ合いがあることで、ストレスが減ることが研究で示された。80年代に、病院で母親と新生児が24時間一緒に過ごすシステムが広がると、再び母乳での授乳が重視されるようになった。

母乳には、哺乳瓶を消毒したり持ち歩いたりする手間がない。ただし、産後すぐに母乳が出るとは限らず、出てもどれくらいの量を飲んだかはわからない。乳房が張ってきたとき、子どもは寝ていることもある。授乳の時間を規則正しくコントロールすることはできないなどの問題は残った。母乳で育てた方がよりバランスのとれた子どもに育つという主張があったが、医学的な証明はできなかった。母乳でも粉ミルクでも液体ミルクでも、子どもは育っていった。

１９９１年に、ＷＨＯとユニセフは赤ちゃんに優しいプログラムを始めた。その中心になったのは「母乳成功への10のステップ」で、具体的な授乳の支援が規定された。母と子が一緒に過ごす権利とともに、充分な授乳の指導を求めるものだ。フィンランドでこのプログラムが取り入れられたのは、１９９４年だった。息子が生まれた年である。こうして見ると、１９００年代前半の母乳重視、50年代から60年代の母乳軽視、80年代の再評価、90年代の奨励という流れの中で私の経験があったことになる。

＊１—Koskela, Minja. 2021. *Äidiksi tuleminen*. Into. p.207.

＊２—Terveys ja hyvinvointi laitos. Sikiöseulonnat. (https://thl.fi/documents/10531/106402/Kide%202009%207.pdf)

＊３—Helén, Ilpo. 2008. Seksuaalinen arki. In Häggman, Kai, et al. eds. *Suomalaisen arjen historia*. Wellin + Göös. p.237.

＊4—同右。

＊5—毎日新聞「妊婦の体重増加目安引き上げ　低出生体重児増加受け　日産婦」2021.3.6.（https://mainichi.jp/articles/20210306/k00/00m/040/182000c）

＊6—ジョアン・C・トロント著、岡野八代訳・著、『ケアするのは誰か？　新しい民主主義のかたちへ』、白澤社、2020年、105頁。

＊7—Kosonen, Laura. 2019. *Suomi synnytti Kätilöiden kertomaa*. S&S. p.35.

＊8—HUS (Helsingin ja Uudenmaan sairaan hoitopiiri). Synnytys.（https://www.hus.fi/hoidot-ja-tutkimukset/synnytys）

＊9—Ylppö, Arvo. 1925. *Äiti pikkulapsensa hoitajana ja ruokkijana*. Otava. p.35.

＊10—同右、p.35-42.

＊11—同右、p.42.

＊12—同右、p.42-43.

第5章 男性にも女性にもやさしい子育て

赤ちゃん連れの外出も楽だった

フィンランドで子育てをして、それほど大変と感じたことはあまりなかったと思う。夫は当然のこととして家事と育児をして一緒に育てた感じが強い。家事に関しては、以前から料理関係は私、掃除関係は夫という分業があった。その延長で、オムツ替えなども抵抗がなかったようだ。育児については疲れたり、うまくいかなかったり、イラついてきたようなときは適宜交代していた。当時は集合住宅に住んでいて、サウナに週1度1時間の予約をしていたが、30分で交代していた。

赤ちゃんが夜中に何度も目をさまして泣くので、毎晩断片的にしか眠れず疲労困憊してしまう親の話はよく聞いた。腕に抱いて、いくらあやしても泣きやまない我が子につい力ッとして壁に投げつけそうになったが、ハッと我に返った父親の話も聞いた。子育ては、決してワンオペではできないことだと思う。

赤ちゃん連れの外出も、それほど大変ではなかった。90年代のベビーカーはとても大きかったのだが、通りかかった人が建物のドアを開けてくれたり、押さえていてくれたりする。バスも電車も出入り口すぐのところに、ベビーカーが2台は入るスペースがとってある。当時はまだすべてのバスがバリアフリーではなくて、2、3段階段があったのだが、乗り降りのときは何も言わなくても近くにいる人がさっと手伝ってくれた。

私は、非常勤講師として大学で日本語と日本文化を教えていて在宅時間が多かった。夫は研究所勤務で、勤務時間は比較的自由になり夕方４時頃には帰宅する。２人とも、職場は自転車で10分程度の距離で、通勤のストレスもなかった。

育児休暇の手当を１０８日間受けられる、という国民年金機構からの通知を今も持っている。そこには、日当の金額も書かれている。息子が生まれたのは７月。授業は５月末までで、９月中旬頃の新学期まで夏休みだったので、私は育児休暇をとらなかった。夫には４週間の夏休みがあり、それに続けて育児休暇は３週間程とった。

国際的な活動を再開したのは息子が２歳のときで、デンマーク・コペンハーゲンの研究所に１ヶ月、客員研究員として滞在した。夫と家族保育のおばさんがいて、できたことだ。家族保育は、４人の子どもを自宅で預かるシステムで、日本の「保育ママ」に相当する。その後は、毎年外国での研究発表などに出かけていた。ヨーロッパが多いが、ロシアや韓国、タイ、シリアに行ったこともある。夫も外国に行くのでお互い様であり、スケジュールを調整しあっていた。息子が11歳のとき、南欧マルタで開かれたシンポジウムに親子３人で夏休み旅行を兼ねて行ったのは、楽しい思い出だ。

バイリンガル教育と多言語

私は、息子にはバイリンガルになって欲しかった。ネウボラで私は常に日本語で、夫は常にフィンランド語で息子に話すよう助言された。どちらも常に同じ言葉。話す言葉を変えたり、混ぜたりしないという助言を守った。

両親の母語が違う場合、子どもと話す言葉をどうするかについては色々な考え方がある。2人ともフィンランド語のみで話す親もいたが、その場合、子どもはバイリンガルになるチャンスを失ってしまう。外国語では言い表しにくい微細なものもあり、私は息子とは日本語で話したかった。息子が最初に言った言葉は「いたい」だった。テーブルの下にいて何か言っているのに気づき、それがだんだん「いたい、いたい」に聞こえ、「痛い」と言っているとわかったときの驚きは覚えている。単なる声が意味を持って聞こえたときの驚きと、子どもが初めて言葉を言ったときの喜びと、どこが痛いのという心配が重なりあっていた。

日本語は私と話すことが多かった息子は、小さいとき、話し方が「女性的」だった。「あら、そうなの」「ちがうわよ」「行くわよー」など。普段、親がどういう口のきき方をしているかは、子どもの話し方に出ることを実感する瞬間だった。

毎日、パソコンに向かっている私を見ていて、息子はパソコンで日本語を書くことと読むことを覚えた。『げんこつ山のたぬきさん』という歌が好きで、1字ずつ入力していく。「げんこつ」「やまの」「たぬきさん」と分けて書き、言葉の塊を1つずつ声に出して読む。それは、すでに知っている言葉を言い、自分が書いたもの、そこに書かれたものとして見ることでもある。最後に「げんこつやまのたぬきさん」とつなげて読んで笑う。書くことと見ること、言うこと、読むことが多重的に起きていた。また、漢字への変換も簡単で、同じ発音のたくさんの言葉が現れる。漢字も視覚的にランダムに覚えていった。

　息子は3年、日本に住んだことがあって、東京の区立小学校に2年通った。漢字が好きだったが、日本の学校では習っていない漢字を書いてはいけない。岩竹という名前を書けるのに、岩という字は1年では習わないという理由で1年生のときは「いわ竹」と書かされていた。私は手書き主義ではないので、手で書くべきとは思わない。しかし、息子は日本で買った『漢字ドリル』を今も持っていて、いつかまた手書きの練習をしたいそうだ。

　私は語学が好きでヘブライ語やアラビア語を含めたくさんの言葉を学んだが、フィンランド語は最もむずかしかったと思う。英語だと名詞は単数形と複数形の2つで、語尾にsをつければ複数形になる。フィンランド語は基本的には語尾にtをつけると複数形になるが、単数形と複数形それぞれに分詞というものがあり、1つの名詞に4つの形がある。また、英語のようにin、to、fromなどの前置詞を使えば簡単なのだが、格変化が15あって名詞そのものを変化させてしまう。固有名詞のはずの人名も格変化。さらに、名詞にかかる形容詞や基数詞、序数詞、比較級、最上級なども一緒に格変化という大変なことになっている。

移住してから、フィンランド語のクラスに何度か通ったのだが、なぜこんなに複雑にする必要があるのかと本当に怒っているクラスメートがいた。スウェーデン語だったら北欧どこでも通じるのに、フィンランド語を学んでもフィンランドでしか使えないしと。その気持ちはわかる。こんな言葉は、絶対に話せるようにはならないと思ったこともあった。でも、夫は「考えるのも話すのも、フィンランド語が一番楽」だと言う。夫はフィンランド語、英語、スウェーデン語を話し、ドイツ語は読める。その程度は、ヨーロッパでは普通だ。むずかしいと感じていたフィンランド語だったが、あるときから急に楽になった。フィンランド語の中で暮らすうちに、その世界観を内面化していったと思う。

つけ加えると、通ったクラスのうち１つは手当が支給されるクラスだった。外国人の同化や職業訓練のためのさまざまなクラスが提供されていて、毎月手当を出す制度がある。４ヶ月程度のフィンランド語のクラスで月に４、５万円もらったと記憶している。

私は、多言語であることにとても惹かれる。１９９６年に、デンマークのコペンハーゲンからスウェーデンのマルメへ行くフェリーのカフェに１人で座っていた。近くにヨーロッパ系男性２人とアフリカ系女性１人がいて会話が聞こえてくるのだが、ときに英語、ときにスウェーデン語と、言葉を自在に変えながら話していて魅了された。男性のうちの１人と女性は結婚していて、２人で旅行してパスポートのチェックなどを通るとき、女性が「彼は私の夫」と言っても信じてもらえないが、男性が「彼女は僕の妻」と言うと、すぐに信じてもらえるという話なども聞こえた。３人ともどちらの言葉も母語のように話し、２つの言葉は波のようにうねり交差していた。

育児手当がウェブで試算できる

フィンランド語がわかるようになって気づいたのは、テレビや新聞、雑誌などが育児休暇や育児手当、子どものケア、働き方などについて絶えず議論していることだった。育児休暇のシステムは２０２２年８月に改正される予定だが、まず現在のシステムを見てみたい。これまでは母性休暇、父性休暇、親の休暇の３つに分けられてきた。それらに対して、国民年金機構が母性手当と父性手当、親の手当を支払う。年収に基づいた日当による手当で課税される収入である。

母性休暇には出産予定日の30〜50日前から入ることができ、母性手当は妊娠が１５４日間続いた場合に受給できる。日曜祝日を除く１０５日間で、約４ヶ月の長さになる。土日を除いた最初の56日間は金額が高くなっていて、最高額は月給の90％だ。母性手当を受ける条件は、出産予定日の少なくとも１８０日前にフィンランドの社会保障を受給する権利を持っていること。

つまり、永住権を得ていることが必要になるが、欧州連合・欧州経済領域の国、スイス、イスラエルに住んでいた日数もそこに含めることができる。

これらの手当の金額は、それまでの給料より低くなる。たとえば、２０１９年に母性手当を受給した母親の平均日当は、64・９３ユーロ（約８４４０円）である。週6日×4週間で計算すると、月額約１５５８ユーロ（約20万２５４０円）になる。

父性休暇は子どもの誕生後、土日を除いた54日（約9週間）までとることができる。その期間は子どもが2歳になるまでで、54日のうち18日間まで母性手当または、親の手当を受給中の母と同時期にとることができる。２人以上の子どもが誕生、または養子縁組をした場合、父性休暇はそれぞれ18日延長できる。つまり双子が誕生、または2人を養子にした場合は72日間、三つ子の場合は90日間の休暇が可能で父性手当が支払われる。多胎児の場合は、父の休暇を増やして対応するという考え方であることがわかる。

母性休暇が終わると、土日を除く１５８日間の親の休暇が始まる。父母のどちらかがとる、または両方が交代でとることができる。また、1度に続けてとる、または2つに分ける、の2つの選択肢がある。つまり、親が交代してそれぞれ2つの時期に分けてとることも可能だ。ただし、多胎児の場合を除いて、両親が同時にとることはできない。受給が終わるとき、子どもは約9ヶ月になっている。

シングルマザーの場合は、親の休暇を54日延長することができるので、最長で２１２日になる。54日というのは父性休暇の日数であり、その分が追加され育児を支援するシステムになっている。

こうした休暇については、労働契約法に基づく契約を雇用者とかわす。親の休暇中であっても、必ずしも休職しなければならないわけではなく、父母はそれぞれ時間を短縮してパートタイムで働き、交代で、または一緒に子どもの世話をすることもできる。それは「部分的親の休暇」と呼ばれ、その期間、「部分的親手当」が支払われる。その日当は最低額の29・０５ユーロ（約３７７６円）になる。日曜祝日に働いた場合は、手当には影響しないので、テレワークなどをしても手当には響かない。

ただし、２０２０年に勤務時間を減らしてパートタイムで働き、部分的親手当を得たのは１０５のカップルのみだったという。理由は２人がそれぞれ雇用者と交渉し、子育ての時間を調整することが容易ではないからと見られている。

また、父母のどちらかがフルタイムの学生で、給付型奨学金を受けている場合は、前記の最少額の親の手当が追加で支払われる。給付型奨学金の受給を一時的に止めた場合は、親の手当が全額で支払われる。どちらが良いかは試算して秤《はかり》にかけることになるだろう。

日当が大体いくらになるかは、国民年金機構のホームページについている計算機に自分の年収、または給付型奨学金の金額を書き込んで、すぐに知ることができる。また、受給を始める日を予想して書き込むと、いつまで受給できるかなどもわかるので、前もって計画を立てやすい。

母性手当、父性手当、親の手当、また後で見る「在宅育児手当」で受給した金額は将来の年金に加算される。将来の年金額は、年金のサイトにログインして予想額を試算できる。フィンランドの年金制度は家族モデルや夫婦モデルではなく、個人ベースの年金である。

育児休暇はどのくらいとれるのか

実際に育児休暇をとるのは、圧倒的に母親が多い。フィンランドは１９７７年に父親の育児休暇を導入したのだが、取得率はそれほど伸びていない。とは言っても、２０２０年には約75%の父親がどこかで取得した。最も多いのは3週間程度で、母性休暇と同時期にとるケースだという。母性休暇後の親の休暇取得の内訳は、母親が90%、父親は10%でやはり母親が圧倒的に多い。

父親が育児休暇をとらない理由としては収入が減る、子どもの世話は母親がメインという考え方がある、長期の育児休暇をとることへのためらいなどがあるという。また、母親の育児休暇は長いので、その間代わりの人を雇用することが多い。国民年金機構は育児休暇で不在になる女性の代わりになる人を雇うために、雇用者に毎年多額の補助金を支払っている。しかし、男性の育児休暇は最長でも約9週間と短いので、その間の仕事の代行は普通ない。そのため、育休の間に仕事が溜まってしまうことも理由だという。

また、父親の約20％は父性休暇も親の休暇もとっていない。ただし、育児休暇のとり方と教育、雇用には関連がある。関係諸機関の研究によると、育児休暇をとる父親は収入が中から高レベル、高学歴、または高学歴の母の配偶者に多い。職場が育児休暇に対して肯定的かどうかも影響するが、低学歴、低収入、失業中の父親は育児休暇をあまりとらない傾向があるという。

ちなみに日本の男性の育児休業取得率だが、２０２１年7月の厚生労働省の発表によると、20年度に育児休業を取得した男性は12・６５％だった。初めて1割を超え、過去最高を記録したが、政府目標の13％には届かなかったという。

家で子どもを育てると、在宅育児手当が出る

次に、在宅育児手当を見てみよう。家で育てる場合、3歳になるまで受けられる。課税される手当だ。私は育児休暇をとらず、1歳半頃「家族保育」に通い始めるまで息子は家で育てていたので、その間、在宅育児手当をもらっていた。家族保育は保育園より規模が小さいので、特に子どもが小さいときは安全に感じた。

育児休暇をとる場合、その手当は最長で子どもが９ヶ月になるまでの支給で、その後は保育園か家族保育に預ける、または家で育てる、のどちらかになる。ただし、調査によると生後９ヶ月で子どもを預けるケースは少なく、１歳半から２歳頃までは親が育てるのが良いと考える人が多い。保育園は自治体が提供することが基本で、私立は少ない。家族保育も、やはり自治体を通じて申し込む。

保育園・家族保育ともに、親の収入によって費用が決められている。現在ヘルシンキの保育園では、上限が２８８ユーロ（約３万７４００円）、下限は27ユーロ（約３５００円）で、それほど大きな負担ではない。

在宅育児手当は、「育児手当」と「育児追加手当」の２つから成るが、自治体によってはさらに「自治体追加手当」を支給するところもある。育児手当は家族の収入にかかわらず一定で、現在は子ども１人につき月額３４２・９５ユーロ（約４万４６００円）。３歳以下の子どもが他にもいる場合は、１人につき月額１０２・６７ユーロ（約１万３３００円）が支払われる。また、３歳以上で小学校就学前の兄弟姉妹については、１人について月額65・６１ユーロ（約８５００円）が支払われる。ただし、最近は自治体が無料の就学前教育を１年間提供するようになっていて、そこに通っている場合、この手当は受けられない。

育児追加手当は、家族の人数と控除前の収入に応じた金額が支払われ、国民年金機構が毎年経済インデックスに基づいて算出している。現在の最高額は1月183・53ユーロ（約2万3900円）で、他の3歳以下の子どもについてはそれより少なくなる。

この他に、自治体追加手当を出すところもある。自治体によって金額と条件、何歳まで支給するかなどが異なる。たとえば、現在ヘルシンキは条件に応じて134・55～264ユーロ（約1万7500円～3万4300円）、隣のエスポー市は218・64ユーロ（約2万8500円）だ。この手当は、子どもの数が多く保育園不足に陥りやすい自治体が出すことが多い。その方が、保育園を増やすより安上がりだからだが、追加手当が出るので引っ越してくる親もなかにはいて、子どもの数が増えてしまうこともあるようだ。

在宅育児手当は子どもを実際に育てる人に払われるので、母または父、祖父母も受給できる。保育のために雇用した人がいる場合は、その人に支払われるが、いずれの場合も同居していることが条件になる。しかし、受給するのは母親が多い。2020年は、受給者の約92％が母親、父親は約8％だった。期間的には平均約13ヶ月の受給で、それ以上長期にわたる受給は最近減る傾向があるという。この手当は、子どもが10ヶ月頃から3歳まで支払われるので最長で約26ヶ月になるが、子どもが複数いる場合は、何年にもわたって受給を続けることも可能だ。

たとえば、子どもが1人いるヘルシンキの家庭で育児手当、育児追加手当、自治体追加手当の3つを最高額で受けた場合は、総計790・48ユーロ（約10万3000円）になる。課税されるとはいえ、悪くない収入といえるかもしれない。しかし、平均以上の収入のある母親にとっては大幅な収入減であり、そのために休職しキャリアを遅らせてしまうほどの価値のある金額ではない。

国立統計センターが出した「統計の中の母2021」によると、2018年は20〜59歳の女性のうち78％が就業していた。子どもがいるかいないかは、ほとんど影響していないという。つまり、子どもがいるから働けないということはない。ただし、子どもの年齢は関係している。子どもが1歳以下の場合、就業している母は32％だが、1〜2歳では58％に、3〜6歳では84％に、小学校1年生以上の場合は89％と上昇する。子どもの人数を見ると、1人から2人の場合は母の80％が、3人以上の場合は65％が仕事についている。ちなみに、18歳以下の子どものいる母の仕事で最も一般的なのは看護師である。

また、統計によると母の教育レベルと雇用の間には関連がある。高学歴の母親は正規雇用されていることが多く、育児休暇が終わると他の母より早く仕事に戻っている。約50％の高学歴の母親は、子どもが1歳半位になると仕事に復帰しているが、低学歴、非正規雇用、または失業中の母親の場合、それは20％に減る。

こうした傾向は、子どもが3歳以下のときすでに見られるが、3歳以上でより明確になるという。最年少の子どもが3歳から6歳のとき、修士以上を持つ母の88％は就業している。大卒では76%。高卒では36%に下がるという。

複数の子どもを持つ母親で在宅育児手当の受給を長期にわたって続けるのは、非正規雇用、失業中など労働市場で弱い立場にある場合が多い。受給を長引かせて家にいると、さらに雇用市場での価値を下げるという悪循環に陥りやすい。それは、育児の分担が父母の間で不均衡に分けられていると、女性の労働市場での立場を間接的に悪くするということでもある。女性がキャリアを進め、より良い収入を得ることを妨げるだけでなく、将来の年金額にも影響するので男女平等の観点から問題になる。在宅育児手当で受給した金額も将来の年金に加算されるが、労働によって得る年金より少ない。こうした考え方は、男性を稼ぎ手とし、女性を家庭内労働に位置づける日本と大きく異なる。

また、移民の母親に対する在宅育児手当は、子どものフィンランド語習得や就学前教育を遅らせる傾向があり、同化政策の観点から好ましくない。出身国による差もあるが、移民の場合は一般的にフィンランド人より就業しにくい。つまり、フィンランド人か移民かを問わず、在宅育児手当は母親の労働市場への参加を抑制し、変化の激しい社会で職業的なスキルの発達を妨げる。社会的に周縁化され、収入が下がり、子どもの社会化が遅れるという点で共通した問題が指摘されている。

17歳までもらえる児童手当

その他の子どもに関する手当としては、誕生から17歳まで（18歳になるまで）支払われる児童手当がある。フィンランドに永住している子どもについて、母か父、またはその他の養育者に支払われる。現在の月額は、１人について94・８８ユーロ（約1万２４００円）。２人目は１０４・８４ユーロ（約1万３７００円）、３人目は１３３・７９ユーロ（約1万７４００円）、4人目は１６３・２４ユーロ（約2万１２００円）、５人以上は１８２・６９ユーロ（約２万３８００円）と増えていく。シングルペアレントの場合は、それぞれの子どもについて月額48・５５ユーロ（約６４００円）が加算され、シングルペアレントを支援する仕組みになっている。この手当は非課税だ。

子どもが多いと増えていくので、少子化対策の意図を持っているように見える。しかし、金額は２０００年代以降減っていて、２０１７年の金額は２０００年の82％である。そこには、新自由主義の影響があるようだ。この手当が、母親に支払われるようになったのは１９４８年。児童手当法制定の後である。それ以前は、収入に対する減税によって補助されていたが、公平な再分配ではなかったので貧富にかかわらず誰もが同じ金額の普遍的な社会保障に変わった。

もう一つの手当として、妊娠１５４日を超すともらえるマタニティボックスがある。赤ちゃんの下着やシャツ、服、防寒着、寝袋、おもちゃなどさまざまな必需品が50点以上入った大きな箱で、箱は誕生後しばらくの間はベッドとしても使える。マタニティボックスではなく、無課税で１７０ユーロ（２万２１００円）を現金で受けとることもできるが、全体の価値はそれよりはるかに大きいので、特に最初の子どもの場合、この箱を選ぶ人が多い。

双子が生まれた場合は、２人目に２つの箱になるので合計３個に、３つ子の場合は３人目に３つの箱になるので、合計６個にと増えていく。また、箱と現金を組み合わせて受けとることもできる。18歳以下の養子をとった場合は、１つもらえる。

この制度が導入されたのは１９３８年。前年に制定された母性支援法に基づくものだ。当初は、労働者階級と貧困者層を対象にしていた。住環境は不衛生で、困窮したとき頼れるのは親戚、または教会や自治体の救貧措置しかなかった。当時の工場労働者の平均月収の約３分の１に相当する手当が現物か現金、希望によってはその混合で支給された。工場労働者は子沢山なのに家族は１部屋に住み、赤ちゃんが安全に寝る場所もなかったため、ベッドになる箱は貴重だ。この手当を受けるには、まずネウボラに行き医師か助産師による妊娠の証明が必要だった。ネウボラは１９２０年代に導入されていたが、こうした制度を通じて、より多くの人々を保健ケアに取り込んでいった。１９４９年からは、貧富に関わりなくすべての妊婦に診断の機会とマタニティボックスか現金が支給されるようになって、現在に続いている。

マタニティボックスは、私ももらった。淡いブルー、斜めストライプの頑丈な段ボール箱で、中には可愛くてすぐ使える赤ちゃん用品がぎっしり入っていた。最初の２、３ヶ月息子のベッドだった思い出の箱は、今も家の物置で使っている。

上記の制度はすべて法律婚、事実婚、シングルペアレント、性的マイノリティの家庭、養子の場合にも同様に適用され、平等の原則が貫かれている。日本では事実婚の場合、児童扶養手当が受給できない。また、シェアハウスに入居した母子が、住人の男性と住所が同じという理由で手当を打ち切られたことがあるという。国の制度が選別的、差別的であることは、より広範な差別へとつながっていく危険性をはらむだろう。

一つ付け加えると、国民年金機構が支払う家族関係の手当には、上にあげたものに加え離婚後、または別居後、片方の親が養育費を払わない場合の養育手当がある。自治体のソーシャルサービスによる養育費の合意、または裁判所の判決が必要になり、金額はケースによって異なる。その他、シングルペアレント、女性カップルの子どもで認知する父親がいない、パートナーはいないが養子をとった場合なども支払われる。状況によっては、15歳以上の子どもが直接受けとることも可能だ。

法改正で、有給の育児休暇はさらに増える

育児休暇制度は２０２２年8月に改正される予定で、その内容は改正に先立つ1年前に公表

された。母性休暇、父性休暇と呼ばれていた育児休暇は、改正に先立って家族休暇という名称に変わった。

改正後は、両親ともにそれぞれ１６０日間の有給の育児休暇を得る。１週間を６日として計算すると、育児休暇は合計約12・８ヶ月になるので、約２ヶ月延長されることになる。片方が、もう一方に63日までの日にちを譲ることもできる。さらに、妊娠後期を保護するため母親に40日間の妊娠手当が、別に設けられている。これは、産休に入った時期の手当になる。こうして有給休暇は総計で14ヶ月強になり、子どもが２歳になるまでの間に使うことができ、何度に分けて使ってもよい。双子、三つ子については妊娠手当を子ども１人につき78日ずつ増やすというものだ。

家族の形による選別はなく、国内、または国外から赤ちゃんを養子に迎えた場合も同じ扱いになる。シングルマザーの場合は、１人ですべての休暇を得る。フィンランドには親が３人、または４人いるクローバーファミリーという家族の形があるが、その場合は、２人の親が休暇と手当を得る。

改正では、有給休暇を長くし選択肢を増やして相互に譲渡できるという柔軟性が加えられた。子育ての責任を両親の間で公平に分け、父親の休暇を増やすことで母親の負担を減らし、仕事に復帰しやすくする。公平と平等がワークライフでも強化されること、収入の男女格差を縮めること、子どものいる家族のウェルビーイングを高めることを目的にしている。個人事業主や短期の仕事で働く人にも利点があるという。また、育児休暇を延長することで在宅育児手当の受給を遅らせ、受給期間を短縮する意図もある。

法的には、母性法（2019年発効）と父性法（2016年発効）が、2023年に「親法」として合併される予定だ。会社などに雇用されている場合は、労働契約法に基づいて雇用者と相談、合意する必要がある。家族休暇を小分けにして何度もとること、勤務時間を減らして仕事をパートタイムにすることを嫌がる雇用者がいるかもしれない。そうした場合に備えて、雇用者の責任を明らかにする、また妊娠に関わる差別をなくし、妊娠と育児休暇が期限つきの仕事の継続にならないようにする、仕事に戻るときの条件を改善するなど、他の法改正の必要も見込まれている。政府は「市場経済セクターと協働し、家族のウェルビーイングを支援する家族休暇を野心的に実現する」としている。[*1] 育児休暇制度の改正は公的支出を増やすことになるが、重要な投資であり、社会全体にポジティブに影響すると社会健康大臣が説明している。この改正は、新自由主義の政策をとり、子どものケアや教育予算などの削減を行ったユハ・シピラ政権（2015～2019年）の緊縮財政政策を修正するものでもある。

在宅育児手当が、男女不平等を進める？

フィンランドで母親の有給産休が実現したのは１９６３年。戦後間もなく、母性と仕事の両立を図る動きはあったが、実現は遅れた。父の有給育児休暇導入は１９７８年。

上記の諸手当の中で、在宅育児手当は最も論争された制度である。１９６０年代のフィンランドで、保育は大きな関心事だった。当時は農業社会から工業社会へ移行中で、都市への人口の移動が増えていた。第４章でふれたアソシエーション９という組織は、男女平等、経済的に夫や父に依存しない女性の生き方、父親の育児休暇などを重要な課題とし、国による保育の制度化を求めた。当時、父親の育児休暇は新しい考え方だった。女性の権利が広がることは、男性から権利を奪うことではないこともしばしば議論された。それまでは未婚の母、夫がアルコール依存症で働かないなどの問題がある女性が働いていた。しかし、問題があるから働くのではなく、権利だから働くのが新しい女性、近代的な女性であると主張された。

当時は、賃労働をしない母には「母親の給与」として、手当が必要という意見もあった。しかし、アソシエーション９は「母親の給与」は、母を家に留めようとするものとして批判。国と自治体が保育園を設置し、職業的な保育士による安全な保育を供給すること、私立の保育園はあまり信頼できないので、国が監督することを求めた。国家の介入と規制によって保育園を制度化し、実際の運営は自治体が行う現在のシステムは、アソシエーション９の構想に基づいている。

アソシエーション９は、当時唯一のフェミニズム的な主張を持つ運動だったが、イギリス的な第２波フェミニズムとは異なっていた。フィンランドの政治学者でタンペレ大学教授のヨハンナ・カントラは、その違いを「国家の外にいるフェミニスト」と「国家の中にいるフェミニスト」という視点から論じた。イギリスのフェミニストが「国家の外」にいて抵抗、国家と闘うとすると、フィンランドのフェミニストは「国家の中」にいて、国家と協働する。国家は抵抗や闘争するものではなく、国家は「良い」もの、目的のためにともに協働するものとする考え方が、歴史的に北欧にはあった。アソシエーション９は平等の原則に基づくので、メンバーには男性もいた。１９７０年に解散したが、「国家の中」で男女平等を進めるという方向を打ち立てたとカントラは論じている。現在の社民党などの左派政党は、こうした路線を引き継いでいる。

一方、１９６０年代から70年代の右派は、女性は第一に母であり、労働者ではないと主張していた。母の居場所は家であり、子どもは母が家で育てるのが好ましい。家にいるかどうかを選ぶのは母だが、子どもを育てることに対して「母親の給与」が支払われる。そこには、保育園を提供するより家で育ててもらった方が安いという現実的な事情もあった。

こうした議論を経て１９７３年に保育園法が発効し、自治体が就学前の子どもに保育園を提供することになった。国と自治体が出費するので、親の負担は少ない。「母親の給与」は少し遅れたが、在宅育児手当として１９８５年に実現した。しかし前述したように、在宅育児手当が女性の労働市場での立場を弱め、短期間の契約による仕事を増やし、ジェンダー平等への妨げになるという見方は、現在フィンランドで幅広く共有されている。

スウェーデンでは、同様の手当が１９９４年から95年、２００８年から２０１６年の２度導入されたが、政治的な議論になり２０１６年に中道左派政権によって廃止された。デンマークにも同様の制度はあるが、１歳児からの早期教育とケアが提供されているので受給者は非常に少ないという。

在宅育児手当は、２０１９年に欧州委員会が採択した「幼児教育とケア（Early childhood education and care）」の方向にも反する。幼児教育とケアは、０歳から就学前までの質の高い教育とケアは将来の学習のための基盤となり、ウェルビーイングや雇用の機会、社会的同化を高めるとしている。特にテクノロジー分野の変化が早いので、それに対応した労働市場が必要になる。幼児教育とケアは将来への投資であり、特に不利なバックグラウンドを持つ子どもにとって重要とする欧州委員会の考えには、人的資本への投資という新自由主義的な意図もうかがえるが、主流になりつつあるようだ。

少子化という「問題」

ここでは、少子化について見てみたい。フィンランドの出生率は１９７０年代から減少していて、毎年１・５から２・０の間を上下していた。それが２０１１年から１・５以下に下がり始め、２０１７年の出生数は５万人に満たず、不作による飢《き》饉《きん》に苦しんだ１８６０年代より少ないと報じられた。９年間続いた減少が止まったのは２０２０年で、出生率は１・３７。１・３５だった前年から微増した年だった。２０２１年の出生率は１・４６で、コロナ禍の中で出生率が上がったことが話題になった。ただし、長期的には出生率は減少していくと予想されている。参考までに、２０２０年の日本の出生率は１・３４である。

現首相サンナ・マリンの前任だったアンティ・リンネは、出生率が下がった２０１７年に社民党の集会で、もっと子どもを作るよう「集合的なプロジェクトとしての出産」を提唱して物議をかもした。ナチスの第三帝国と国民社会主義を連想させる、と批判した議員もいた。日本で行われているような自治体による婚活は、フィンランドにはない。育児休暇と育児手当、手頃な価格での保育制度などの政策は少子化対策として行われているわけではないが、結果として出生率の上昇につながることは期待されている。しかし、そうした政策と出生率の間に直接の関係はないとする研究者もいる。

北欧の中で比較すると、２０００年代半ばからフィンランドの出生率はスウェーデンとノルウェーよりも低く、最近は最も低くなっている。工業化が進むと人口が減ることは一般的な原則として知られているが、より明確な少子化の理由はわからないことも多い。粗雑に育てるのではなく、子ども一人ひとりのウェルビーイングを大切に育てるのは、さまざまな支援があっても大変な事業ともいえる。

ただし、フィンランドの歴史を通してみれば、現在の約５５３万の人口は最も多い。出生率が下がる中での最近の人口増は、移民によるところが大きいが、それは解決策の一つとしてあるだろう。少子化を「問題」と考えるのは、特定の立場からの視点である。現在は、少子高齢化が進むと今のような社会や経済を維持できないという理由から、出生率の減少は問題と考えられている。しかし、時代を遡れば、優生学的な理由から人口の調整が図られていた。フィンランドで断種法が制定されたのは１９３５年。アメリカ（１９０７年）、デンマーク（１９２９年）、ドイツ（１９３３年）、スウェーデンとノルウェー（１９３４年）に続くものだ。１９７０年の断種法の廃止まで、知能が低いとみなされた人、障がい者、精神疾患をもつ人、性犯罪者、貧民、未婚の母などに強制不妊手術が行われていた。１９３０年代には、人口の約10％に強制不妊手術が必要と考える医師もいた。現在とは非常に異なる人口へのアプローチである。

ちなみに、日本では優生保護法によって１９４８～１９９６年までの間、障がい者などへの強制不妊手術が行われていた。

また、１９７０年に制定され、２０２２年に改正予定のフィンランドの中絶法には、中絶が認められる年齢の規定があり、妊婦が17歳以下、または40歳以上の場合は中絶してもよいとされている。中絶は、一般的には望ましくないことと考えられてきたが、母親の年齢によっては問題にしなくてよいことが法制化されていた。

フィンランドには、ペンティ・リンコラ（１９３２－２０２０）という思想家・漁師がいて、ディープ・エコロジーの立場から人口は減らすべきと主張していた。ディープ・エコロジーは、自然を搾取し破壊するのではなく、自然とともにあることを追求する思想である。リンコラは、人類は増えすぎて自然を破壊していると考え、農業や自給自足経済への回帰を主張したが、戦争やテロリズム、自然災害を肯定的にとらえており、エコファシズムとも呼べる様相を呈していた。

最近のフィンランド政府は、持続可能な社会と経済、また人々のウェルビーイングを支援、保証するウェルビーイング経済を提唱している。それは、一部の資本家を益するために、ひたすら膨張し格差を拡大し続ける資本主義を前提とするものではない。縮小も含み、従来の資本主義のあり方を修正するものでもある。

資本主義経済の発展が、女性のシャドーワークによって成り立ってきたことを明かしたのは、マルクス主義フェミニズムである。また、２０２１年に日本語訳されたカトリーン・マルサル

『アダム・スミスの夕食を作ったのは誰か？』（河出書房新社）が示すように、近代の経済理論はケアする女性がいて構築された一方、ケアする女性の存在を不可視化していた。つまり、そこには重大な欠陥がある。本書で見てきたように、ケアを取り入れた社会的な政策は、フィンランドが実践してきたことでもある。資本主義経済の修正とともに、人口増を求め続けるのではないあり方も模索していけるかもしれない。

女性に優しい福祉国家

フィンランドの産休や育児に関する政策の背後には、「女性に優しい福祉国家」という考え方がある。社会学者でタンペレ大学教授のアンネリ・アントネンは、１９９４年に「女性に優しい福祉国家は、女性が経済的・社会的に男性に比べて弱い立場に陥ることなく、賃労働と母性とケアをあわせ持てるユートピア社会である」と書いた。「ユートピア実現のためには、ジェンダー間の差異を認識し、市民の地位の非対称性を解消する必要がある。出産や母性、ケアが女性を私的領域に囲い込んではならないし、女性を男性に依存させてはならない。そのためには母として、ケアする人として、女主人として、賃労働者としての女性の地位を保証する国家が必要である」と続けている。[*2] ここには、「女性に優しい福祉国家」と国家フェミニズムの関係が示されている。

「女性に優しい福祉国家」はノルウェーの政治学者で、後に政界に転身したヘルガ・マリア・ヘルネス（１９３８－）が、北欧民主主義の国家の形として１９８７年に提唱した概念である。女性への優しさの中心になるのは、女性の幅広い政治的な参加であり、政府による男女平等の制度化による呼応である。女性が国家と協働し、女性に優しい制度を法制化していく。国家は女性を抑圧、差別、搾取するのではなく、女性の権利を推進する。国家を信頼でき「良い」ものとする政治的文化を背景にして生成されるのが国家フェミニズムであり、それは「女性に優しい福祉国家」を生み出す。ヘルネスは、それを国家と戦って平等や権利を勝ちとってきたとするイギリスのフェミニズムとは異なるものとして位置づけた。

　北欧は女性の賃労働への参加、国会議員としての政治参加、子どもと老人ケアの社会化などによって家父長制的な社会を変えてきた。女性であるがゆえに、男性より低い地位に貶《おとし》められることがない。産むこと、母であること、ケアすることが私的な領域に閉じ込められない。女性には、母になる権利も賃労働の権利もある。ヘルネスにとって「女性に優しい福祉国家」はユートピアである。ヘルネスは、ケアを社会的なシチズンシップ（市民権）に含めることも論じた。政治参加などに加えて、女性が担うことの多いさまざまなケアもシチズンシップを構成するものに加えるという構想である。

　ヨハンナ・カントラは、イギリスとのケアの考え方の違いを指摘している。イギリスでは妻や母、低賃金のメイドなどがケアを担ってきたが、フィンランドではケアを社会化した。ケアの社会化は、近代の度合いを示すものと考えられた。フィンランドには、イギリスのようにケアの報酬としての家族賃金の考えや制度がないのは、ケアが社会化されたためとしている。

北欧の社会保障は普遍主義で、すべての市民に対する失業保険や年金を基本にする。フィンランドでは、60年代に賃労働に従事していない女性にも社会保障が与えられた。夫の扶養家族になるのではなく、社会保障は個人をベースとして提供されてきた。結婚や家族による保障でないことは、夫への依存を減らし、離婚しても生活に困窮する危険が少ない。南欧のように、親や親族を扶養する義務もない。幅広い社会的なケアサービスを提供する政策に関して、北欧の社会民主主義国家はアクティブな役割を果たす。「女性に優しい福祉国家」は、ユートピアとさえ言われた所以《ゆえん》である。

ヨハンナ・カントラは「女性に優しい福祉国家」のパラドックスを指摘している。「女性に優しい福祉国家」の観点からは、夫に依存するより国家に依存する方が望ましいことになる。それは、女性を労働市場に組み入れることによって男女平等を実現しようとしたが、ケアの社会化のために、パブリックセクターがケアの領域に女性を取りこむ政策は、女性が圧倒的に多いパブリックセクターと男性の多いプライベートセクターという分断を生むことになった。それは、女性が低賃金で社会的地位も低いケア労働の多くを占めることでもあった。現在も続く賃金の男女差は、こうした分断にも一因がある。皮肉なことに「女性に優しい福祉国家」は、ジェンダーの分断と不平等を再生産することになったのだ。

「女性に優しい」という考えは女性を均質化し、共通した利益を持つことを前提にする。しかし、実際は女性の間にも差異と不平等がある。アソシエーション9が要求した、母が賃労働をする権利、また働く女性が新しいという考え方自体が、都市部の中流階級以上のものだった。歴史的にフィンランドで富裕層は薄く、専業主婦でいられる女性の割合は少なかった。多くの母親が、生きるために子どもを置いて工場や畑で働いていた。彼女たちにとって働くことは権利ではなく、義務だった。中流女性にとっては、国家の役職につくことは新しい領域の開拓であり野心でもあったが、労働者階級の女性は関心がない。中流階級には父母と子どもから成る核家族が理想だったが、未婚の母の多い労働者階級の現実にはあわない。それよりも婚外子の社会的保障や、子どもが夜、家で1人にならないよう夜間労働が禁止されることの方が重要だった。特に20世紀前半の中流階級のフェミニストは、労働者階級を無神論者、性的に放逸などとみなして啓蒙の対象としたのだが、皮肉なことに現在の「女性に優しい福祉国家」の根幹になったのは、労働者階級の女権運動が19世紀末から要求していたものである。その主張の多くは、アソシエーション9に引き継がれたと見ることも可能だろう。

フィンランドのフェミニストは男女間の平等に専心してきたが、階級やエスニシティ（民族）など他の不平等には関心を払ってこなかった。それは、インターセクショナリティの視点から批判され、問い直されることになった。第1章でふれたが、インターセクショナリティはジェンダーやエスニシティ、階級、性的指向などが複合的に交わる「交差性」を意味する。従来、フィンランドではジェンダー、性的指向、教育、障がい、貧困などの問題は別個に議論されてきていたが、インターセクショナリティという概念を使うことによって、それらは連結して構造的な差別を生んでいることが可視化されるようになった。

　また北欧のあり方が女性にとってのユートピアであるという感じ方、フィンランドの女性は平等を達成しつつあるが、移民の女性たちは達成していないという見方は、ポストコロニアルフェミニズムの視点から批判されることになった。

「フィンランド女性は強い」と言われていた

「女性に優しい福祉国家」に加え、２０００年代頃までしばしば聞かれたのは「フィンランド女性は強い」という言説である。さまざまな分野のリベラルフェミニストが、フィンランド女性は強いから男女平等を実現したと主張していた。「強い」という自己認識は、「弱い」他者との対比で構築されたと考えることができる。私は、フィンランドの国家的叙事詩『カレワラ』（１８４９年）が描く女性像から「強いフィンランド人女性」という言説が作られたことを論じたことがある。フィンランドの古典（キャノン）の文化的な側面からの批判的な考察である。

ヨハンナ・カントラは、社会的権利と労働権、福祉の強調が女性の身体的権利への関心を希薄にしたと論じている。女性に優しくジェンダー平等が進んでいる、フィンランド女性は強いという考え方からは、女性を保護する視点が生じにくい。それは、家庭内暴力やパートナーからの暴力の問題を不可視化した。フィンランドは、女性への暴力が欧州連合の中でも多い。しかし、女性への暴力は人間関係やアルコール依存症などの個人的な理由、または特定の階層と結びつけて説明された。個人的な理由や階層ではなく、家父長制と構造的な問題が女性への暴力を引き起こしていると論じるフェミニストはいたが、影響力を持たず、女性への暴力に関する法整備は遅れた。カントラは、家庭内暴力を大きな関心事としてきたイギリスのフェミニズムとの違いを論じている。

しかし、前章で見たようにフィンランドでは避妊、出産時の苦痛や会陰切開を政治化する議論がされてきており、女性の身体的権利への関心が希薄だったとは必ずしも言えないと思われる。イギリスと比較すると、ＤＶへの問題意識が低かったということだろう。評価できるのは、フィンランド政府が過去の不備を修正する政策を作ることだ。政府の「ジェンダー平等アクションプラン２００４－07」には「女性への暴力を減らす」という章が置かれ、その後は「女性への暴力を減らす、パートナーからの暴力を減らす」という章が置かれるようになった。

　また、2022年には同意のない性行為を犯罪化する法改正が行われる予定だ。現行法は暴力または脅迫によるもの、自衛能力のない状況下での性交をレイプとしている。しかし、改正法では暴力や脅迫により強制されたのか、自衛はできなかったのかではなく、自発的な参加があったかどうかが最も重要な基準になる。セクハラについては性的侵犯という概念を導入し、さまざまな形の性暴力が犯罪化される。

　1995年に欧州連合に加入するとき、「女性に優しい福祉国家」はフィンランドのアイデンティとして自覚されていた。特に子どものケアと無償の給食が特徴とされたが、2000年代以降は女性に優しいだけではなく、性的マイノリティにも同じ権利を与えている。また、シングルマザーに追加の支援をする政策は、シングルマザーが差別され、不当に扱われていた過去のあり方を修正するものでもある。差別や排除が完全に消えることはないかもしれない。しかし、女性に対してだけではなく、より広範な市民と永住者に対して「優しい」国へと変化していると見ることは可能と思われる。

機会の平等ではなく、結果の平等を

　ヨハンナ・カントラは、北欧と欧州連合のジェンダー平等へのアプローチの違いを、ポジティブとネガティブという視点から説明している。北欧では、ジェンダー平等は福祉国家の政策、またコーポラティズム（社会的な利益団体が国家と協調する政治のあり方）として進められた。平等は、リベラルな個人主義の視点からではなく、社会的正義と結びついた社会的な概念として理解される。ジェンダー平等は、差別されない権利としてよりも、社会福祉と労働市場の課題とされた。差別を禁止する法律が平等を進める第一の方法ではないとされ、ポジティブな方法を用いてジェンダー平等が進められた。

一方、欧州連合は賃金、社会保障、労働市場などについて差別を禁止する法律を使って平等を進めた。差別禁止の法律は差別を非合法化して平等を実現しようとするが、差別された場合に裁判を起こすのは差別された本人であり、差別された側に行動の責任が置かれる。

しかし、北欧のポジティブな方法は最初の不均衡を是正して、機会の平等ではなく、結果の平等を目指す。不利な状況にあるグループの立場を向上させるためには、機会の平等から外れてもよいと考える。身長の異なる３人の姿で公正さを説明するイラストがあるが、一番小さい人に一番高い踏み台を与えて支援し、皆が同様に壁の向こうを見えるようにするという考え方だ。不利な条件にある人に、より多く与えることで結果が平等になる。それは個人から責任を取り除き、弱い立場にあるグループの不利を軽減するために、たとえば労働時間などの構造を変えることを雇用者の義務にする方法である。

しかし、欧州連合のアプローチはフィンランドに影響を与えている。ジェンダーのみならず、人種、障がい、性的指向などに基づく差別の禁止と非合法化は、その例である。欧州連合の枠組みは、フィンランドでジェンダー平等についての言説を変化させていて、これまでの普遍的な福祉サービスを変えていくかもしれない。こうした動きは小さく不均等だが、将来的には大きな変化につながるかもしれないとカントラは分析している。

新自由主義と国家フェミニズム

新自由主義の台頭は、「女性に優しい福祉国家」の原則を脅かすものになっている。それは、特に2015〜2019年のユハ・シピラの連立内閣で露わになった。中道右派3党による内閣で、国際的な競争力を増やすために緊縮財政、パブリックセクターの民営化、国家から個人や家族へのコストとリスクの移譲、個人に責任を与える雇用や社会政策、市場中心の政策などを行った。それは「女性に優しい福祉国家」のセールスポイントとされてきた公的な保育や子どものケアの削減、健康に関する社会的なケアサービスの削減と民営化、教育予算の大幅な削減などを含んでいた。さらに、ジェンダー平等が弱体化された。シピラ内閣には家族関連大臣はいたが、ジェンダー平等大臣は置かれず、2015年の政府のアクションプランにはジェンダー平等について記述がなかった。

国家フェミニズムの立場から、フィンランドでフェミニストは国家に協力してきた。ジェンダー平等の主流化や性的平等、人権問題の解決を進める女性団体など、従来政府と近い関係にあった組織は、シピラ内閣に対して強い批判ができなかった。沈黙していると、政策を容認しているように見えてしまう。そうしたとき、国家フェミニズムの弱点が露わになる。

また、フィンランドの国家フェミニズムの問題点として、戦争批判がないことがあげられる。それは、戦争批判とともに女性の戦争協力を問題化してきた日本のフェミニズムとの大きな違いだ。冷戦下、安全保障をアメリカに依存し、沖縄を軍事化することによって日本を脱軍事化したという特定の状況の下であったにしても、日本は90年代頃までは「戦後平和主義」を享受した。フェミニストの研究者は、国家は暴力を独占する組織とするマックス・ウェーバー的な定義に拠《よ》りつつ、戦争を犯罪とする国家批判を行った。

フィンランドで、女性はなぜ戦争に協力したのか、と批判的に問われることはない。祖国防衛は憲法にも規定されている市民の義務なのだから、戦争協力は当然のことである。それは感謝されこそすれ、批判の対象にはない。特に、ソ連が崩壊し冷戦が終わった文脈で、女性の戦争協力はむしろ肯定的にとらえられている。ＮＡＴＯ（北大西洋条約機構。現在、北米と欧州の30ヶ国が加入している軍事同盟）に非加盟で、軍事の国際的な後ろ盾がないという事情もあるが、国家を信頼でき「良い」ものと考える国家フェミニズムの限界は、そうしたとき感じられる。

国家を良いものととらえる北欧的な感覚、また「国家の中」にあるとされるフィンランドのフェミニズムに関連するものとして、政治学者でヘルシンキ大学教授のトゥイヤ・プルッキネンによる論考がある。プルッキネンは「国家からの自由」と「国家への自由」として、2つの思想的系譜を論じた。前者はジョン・ロックのイギリス系リベラリズム、後者はヘーゲルのドイツ系思想に位置づけられる。フィンランドはイギリス系リベラリズムの影響を色濃く受けていて、個人の尊厳と自律、価値の多元性、法の支配などの基本的なリベラリズムの価値は譲ることができない。「国家からの自由」への希求につながるものだ。

その一方で、ヘーゲルの影響を受けたフィンランドの哲学者J・V・スネルマン（1806－1881）も重要な人物である。その考えによると、市民社会は強制的なものまたやむをえないもので、国家こそが自由である。市民は自制心を持ち国家に従順であり、規範によって行動することによって「国家への自由」を得る。プルッキネンは、国家を「良い」ものとする考え方をヘーゲルの系譜に位置づけ、フィンランドでは2つの考え方が拮抗《きっこう》してきたと論じた。

もちろん、フィンランドと日本の国のあり方はとても異なる。フィンランドで国家は市民のウェルビーイングを気遣い、市民の政治参加を奨励し、そのニーズを政策に取り入れる。コロナ禍でも市民、特に弱い立場に陥りやすい人やエッセンシャルワーカー、子どもを守ろうとした。国家は、経験的にも良いものとして信頼できる。一方、日本の政治の腐敗やコロナ禍への対応を見て、国家が良いものと信頼することなどまったくできない。歴史的経験からは、暴力を独占するものとしての国家という観点が共感されることになる。

ヨハンナ・カントラは、比較分析の枠組みとしてフィンランドのフェミニストを「国家の中」に、イギリスのフェミニストを「国家の外」に置いた一方、現実はそのように二分化されているわけではないことも論じている。また、国家フェミニズムは、フィンランドや北欧に特有のものではない。カントラが編者の一人である『変化する国家フェミニズム（Changing State Feminism）』（２００７年）では、オーストリア、ベルギー、フランス、ドイツ、イギリス、オランダ、スペイン、アメリカの国家フェミニズムの様相が論じられている。さらに、日本の「男女共同参画」も国家フェミニズムの政策として理解することができるだろう。２０２１年には第5次の「令和3年版男女共同参画白書」が出された。ただし、それは男女平等を抑制しようとする意図も持ち、フィンランドが進める政策とは異質のものだ。

ケアする国家か、介入する国家か

フィンランドでは働く母が規範であり、基準になる。社会学者のアンネリ・アントネンは、それを「母親市民」と呼んだ。母であることと賃労働が女性の市民としての権利であり、また義務とする考え方である。

では、専業主婦はどうなるのだろうか。フィンランドは女性も働くことを前提とした社会なので、専業主婦は肩身がせまい。同じヨーロッパでも、主婦の多いベルギーやオランダとはとても異なる社会だ。「主婦」という言葉だが、フィンランド語では「ハウスマザー（kotiäiti）」である。フィンランド語の辞書によると、それは「家の外で賃労働をしない母」[*3]。母であることが前提で、子どもがいなければ「ハウスマザー」ではなく、従って主婦でもない。

一方、『大辞林』（三省堂）は「妻として一家の中で家庭生活のきりもりと管理の責任をもつ女性」[*4]を主婦としている。これは、英語のハウスワイフに近い言葉だろう。

あえて主婦でいることを選ぶ女性については、時々メディアで取り上げられる。２０００年から２０１２年まで、フィンランド初の女性大統領を務めたタリヤ・ハロネン（１９４３－）が、なぜ主婦でいたいなどと思うのか不思議がっていたことを覚えている。

２０１７年にある新聞が、２人の母を対比させた記事を書いている。最初は、４歳から14歳の４児の母で専業主婦の女性が語る。政治家は、家にいる母は社会から取り残されてしまうと心配し、男性に依存しなくても生きられるよう、女性の経済的自立を考える。でも、自分が家にいるのは夫と相談して決めたことで、子どもは自分で育てケアしたいから、政治家が母親や家族のことを決めてくれなくていい。子どもにとっては、日々の暮らしが学びであり、家にいても就学前教育を受けていると語っている。しかし、それは専門知識を持つ人による教育を重視するフィンランドの文脈では、あまり説得力を持って聞こえない。

同じ記事の後半で語るのは、高校の副校長で13歳と11歳の2児の母だ。夫は外国へも含めて出張が多く、子育ての負担は重かった。しかし、キャリアを積み2人で余裕ある暮らしを築くことができた。社会は、夫も妻も働くことをモデルにしている。2人が同じ長さで生き、夫が経済的に支えてくれるとは限らないと語る。専業主婦でいたい人はいられるが、働く母の方を明らかに肯定的に描く記事になっている。

また、２０１５年に別の新聞は、弁護士の資格を持つが、20年間専業主婦をしている4児の母の記事を載せている。夫の仕事でアメリカに行ったが、弁護士の仕事がなく、帰国した現在もそのまま専業主婦を続けている。アメリカでは専業主婦であっても不思議がられないが、フィンランドでは言い訳や弁解が必要になると語っている。

女性が、子どもと仕事を持つことを支援するフィンランド。それは国による介入であり、管理や抑圧と考えることもできる。しかし、ワンオペで無報酬の家事と育児ではなく、父親も家事育児をする。夫に「誰のおかげでメシが食えると思ってるんだ」などと言われることもなく、経済的に依存しないで生きていける。職場では、働く人のウェルビーイングとワークライフバランスが重視される。人生の選択肢は多様で、事実婚やシングルペアレント、性的マイノリティ、定住外国人にも平等だ。

こうした状況は、日本との差がとても大きい。黒川祥子は、日本で「女性は子を産み、家事や育児、介護などの役割を担う存在であって、夫という大黒柱に扶養されるのが前提だから、非正規の低賃金労働でいいとされ、これが今に至る、女性の貧困の最たる原因」としている。[*5]多くの女性が生きにくさを感じているのは、こうした制度によるところが大きいだろう。

アンネリ・アンットネンは、個人の自治を尊重し、女性の経済的な自立を進める北欧モデルを優れたものと考え、北欧福祉国家を「ケアする国家、またはソーシャルサービスの国家として見ることができる」と論じた。[*6]「ケアする国家」という見方に私は共感する。それが同時に「介入する国家」であるとしても。

＊1—Valtioneuvosto. *Kansallinen Lapsistrategia*. Valtioneuvoston julkaisuja 2021:8, p.27.

＊2—Anttonen, Anneli. 1994. Hyvinvointivaltion naisystävälliset kasvot. In Anneli Anttonen et al. eds. *Naisten hyvinvointivaltio*. Vastapaino. p.203.

＊3—Suomisanakirja. "Kotiäiti". (https://www.suomisanakirja.fi/kotiäiti)

＊4—松村明・三省堂編修所編、『大辞林』第20刷、三省堂、１９９１年。

＊5—黒川祥子、「貧困という宿命を背負わされて」、『青春と読書』。(http://seidoku.shueisha.co.jp/2201/read08.html)

＊6—Anttonen, Anneli.1997. *Feminismi ja sosiaalipolitiikka*. Tampere University Press. p.200.

第6章　安心できる医療・介護システム

生命保険はいらない

私の夫は、大腸ガンの手術を受けたことがある。約3週間の放射線治療の後、手術の前日入院。手術後6日で退院し、その後、点滴による化学療法を4サイクル受けた。

病院には必要なものがすべて置いてあるので、持参したのは歯ブラシと歯磨きだけ。身軽に入院できて楽だ。入院中は様子を見にお見舞いには行ったが、小さい子どもの入院を除いて、家族が病室でつきそうという習慣はない。病院のケアが充分なのでつきそう必要がなく、妻がつきそうことを期待する考え方もない。また、安静という考え方はなく、体を動かすことも治療の一部になっている。夫は手術の翌日から、廊下を歩いて少しずつ体を動かすように言われた。少し寒いと感じたら病院のガウンを着ればよい。必要なら歩行補助の用具を使う。寝てばかりいると運動能力が落ちるのは事実で、フィンランドに寝たきり老人がいないのは、寝たきりにしないからというシンプルな理由による。入院期間が短いことも特徴で、大きな手術の後でも1週間程度で退院になる。もちろん治療が必要なら退院しないが、入院が短いのは基本だ。

4ヶ月の病気休暇が終わると、勤め先の大学の夏休みが始まった。合計約8ヶ月の自宅療養の間、治療と回復のプロセスをともにしたが、夫は自分のことは自分でしていた。幸い、現在は完治している。

家から病院までは車で30〜40分の距離だが、化学療法は身体的にきついのでタクシーを使った。「国民年金機構タクシー」というシステムがあり、1回につき25ユーロ（３２５０円）まで自己負担だが、それを超える場合は国民年金機構が払う。1年間の自己負担の上限は３００ユーロ（3万９０００円）で、それを超える金額は国民年金機構が払う。請求された金額はまず自分で払い、後で払い戻しを受けるシステムだ。自分の車で行く場合は、ガソリン代の補助が出る。

公立病院での医療費にも自己負担の上限額があって、２０２２年は年間６９２ユーロ（8万９９６０円）である。外科外来、外科手術、入院費、リハビリ、理学療法などを含んだ金額で、それを超える場合は国民年金機構が支払う。この金額は、２年ごとに経済指標インデックスに応じて調整される。つまり、公立病院の医療費はとても安く、医療とケアの質は高い。

また、処方薬も５８０ユーロ（7万５４００円）までが自己負担になるが、その後は1年間の自己負担額は50ユーロ（６５００円）に下がり、ガンの薬などであってもとても安くなる。電子処方箋なので、どの薬局に行ってもよい。薬局に行くと、処方された薬と同成分だが値段の安い薬があることを教えてくれ、どちらにするか聞かれるので安い方を選ぶのが普通だ。

私は自分自身の病気の経験も経て、病気になったときのための民間の生命保険は必要ないと思うようになり、それまで入っていた保険をやめた。日本では、医療費もさることながら介護保険や生命保険、医療保険などに少なくない出費が必要だ。２０２１年11月には介護保険料を払えず、預貯金や不動産などを差し押さえられた65歳以上の高齢者が過去最多の2万人を超えたことが報道された。介護保険料は、開始された２０００年度と比べて、2倍近くに上がっているという。病気によって仕事を失うのではないかと心配する人もいて、医療システムと精神的な面も含めた安全への配慮の大きな違いを感じる。

医療システム

フィンランドの医療システムを簡単に説明すると、国民皆保険制度で健康センターと病院の2本立てになっている。まず地元にある自治体の健康センターに電話して、気になる症状を伝える。臨床検査を受けるように言われたり、看護師または総合医療医師の予約をとったりする。看護師または総合医療医師の診断を受けて、必要な場合は処方箋が出される。急ぐ場合は電話や予約なしで、直接行って順番を待ち、看護師または総合医療医師に診てもらう救急外来がある。

　診察を受けてより精密な検査が必要とみなされた場合は、医療ケア圏の病院に予約をとってくれるので、そこに行って検査と専門医の診察を受ける。手術を受けるのも病院だ。医療ケア圏は、大学病院や総合病院を中心として全国を21に分けたものだ。

病院には、公立と私立がある。公立は医療費が安いが、予約待ちの時間が長い。私立は医療費が高いが、すぐに診てもらえるという違いがある。また、労働衛生というシステムがあって、雇用者が被雇用者に無料の医療を提供するが、その場合の医療機関は私立になる。雇用者が提供する無料の医療は総合医療医師のレベルまでで、医療ケア圏の公立病院での手術や治療の費用は、前述した上限の額までは被雇用者の負担になる仕組みだ。

「国民の健康」は国家の義務

保健医療体制は、フィンランドでは「社会保健ケア」や「社会保健サービス」と呼ばれ、略して「ソテ」。社会保健省という役所があり、数ある省の中でもニュースなどで日常的な露出度が高い。

社会保健省のホームページには「ソーシャルサービス」と「保健サービス」の項目がリスト化されている。「ソーシャルサービス」にあげられているのはソーシャルワーク、喫緊のソーシャルサービス、在宅ケアと在宅サービス、施設でのケア、住居サービスと高齢者のための家のリフォーム、家族ケア、親族ケア、子どものケア、児童養護、養子縁組、育児と家族相談・仲裁、養育権・養育費・子どもの認知、薬物依存に関するサービス、障がい者サービスと支援である。

もう一つの「保健サービス」の目的は、公衆衛生とウェルビーイング、労働衛生、社会的な安全を高めること、健康に関する差異を減少することと説明されていて、内容のリストがさらに長い。保健相談、ネウボラ、検診、ワクチン接種、口腔衛生、学校の保健ケア、学生の保健ケア、労働衛生、失業者の保健サービス、精神衛生サービス、急を要する診察、救急処置、病院治療、在宅治療、終末期医療、臓器移植、患者の安全、欧州連合の国境を越えた治療の権利、不法滞在者の保健サービスなどがあげられている。日常的な医療から終末期医療や臓器移植まで、とても幅広い。また、難民申請をしたが認可されず、不法に滞在している人にも、人権や公衆衛生の観点から基本的な保健医療が提供されている。

社会保健省のホームページには、続いて「その他のカテゴリー」があり、リハビリ、薬による治療ケア、利用者と患者の権利、社会・保健サービスの値段、社会・保健サービスの人員、子ども・若者・家族サービス、高齢者サービス、難民申請者のサービス、社会・保健ケアのデータマネジメントなどがある。

これらからは、社会サービスとケアを提供する国家の様相が現れる。フィンランドの社会サービスが、特に60年代以降、議論を重ねて重視してきたのは就労と育児の両立支援、介護の社会化なのだが、その他にも幅広いサービスがあり、ケアの概念がとても広いこともわかる。こうしたサービスについて、保健ケア法などの法律や条例に言及している項目もあるが、大元になるのは憲法だ。憲法第19条「ソーシャル・セキュリティへの権利」は、次のように規定している。

「憲法はすべての人に失業、病疾、労働不能、老齢、出産、養育者喪失に対する基本的な生活費を保証する。公権力は法律の規定に応じて、すべての人に充分な社会・保健サービスを保証し、健康を進めなければならない。また公権力は子どもをケアする家族及び、子どものケアを担当する人が、子どものウェルビーイングとその子どもらしい成長を保証できるように支援しなければならない」

「子どものケアを担当する人」は、ソーシャルワーカーをはじめ保育士や学校の先生などを含む。健康とウェルビーイングを重視する考え方が示され、こうした憲法に基づいて、国が幅広くきめ細かいソーシャルサービスを提供していることになる。公権力が「すべての人に充分な社会・保健サービスを保証し、健康を進め」る義務を定めていて、日本の憲法とは根本的に異なるものを感じる。

社会保健制度の改革

現在フィンランドでは、公的な社会保健ケアと救急体制を更新する「社会保健改革」が進行中だ。特に重点的なのは社会保健ケア。そこには基本的な保健ケア、特別な病気ケア、病院のサービス、歯科検診、精神衛生と薬物、ネウボラ、成人のソーシャルワーク、児童保護、障がい者サービス、高齢者住宅サービス、在宅ケア、リハビリテーションが含まれている。

２０００年代から15年にわたって議論されてきた課題だが、大きな改革でさまざまな困難が伴った。ユハ・シピラ内閣は、この改革の失敗によって２０１９年に倒れている。２０２１年６月に国会で承認され、サンナ・マリン内閣で実現されることになった。この改革に伴って、２０２２年から現在の医療ケア圏は「ウェルビーイング・エリア」と呼ばれるようになる。

少しフィンランドの地方行政を説明すると、クンタ（自治体）と呼ばれるのは日本でいう市町村にあたる。１９９０年代以降、合併を繰り返して、現在合計３０９のクンタがあるが、人口の多少にかかわらず政治的に対等の立場にある。中央集権で上意下達の政治ではなく、対等の関係にあるクンタによって地方自治の政治が行われている。ヘルシンキ市のように、市という名称を使っているクンタは現在１０７あるが、１９７７年のクンタ法によって市は法的な意味づけはない単なる名称とされた。人口の多いクンタは市を名乗っているが、そのための厳密な基準はない。クンタ同盟という団体があって、政治的な発言力と影響力が強い。

日々の暮らしと政治の中心になるのはクンタで、保育園、教育、医療ケア、スポーツ、文化、ごみ処理などを担当。全国のクンタの半分以上の人員は社会・健康の領域で雇用されており、財政的には支出の半分近くが保育、老人・障がい者・メンタルヘルスのケア、医療サービスへの支出になっている。

県（ラーニ）という地理的な区分もある。１９９０年代以降の合併再編などによって現在は21県だが、行政的な役割は少なかった。クンタと県の他に、医療ケア圏と呼ばれるエリアがあり、大学病院や公立病院を中心に医療体制を形成していた。県とほぼ重なるエリアである。これまではクンタと医療ケア圏が、社会保健ケアと救急体制を担当してきた。

今回の社会保健改革によって、医療ケア圏は「ウェルビーイング・エリア」に置き換えられ、２０２２年からは「ウェルビーイング・エリア」が社会保健ケアと救急活動を提供するようになる。つまり、社会保健ケアと救急活動が県のレベルに移される。クンタは、今後も保育園、教育、スポーツ、文化、ごみ処理などを担当するので、社会健康ケアと救急が切り離された形になる。

財政的には、これまで社会保健ケアの大部分は税金によって賄われてきた。今後は、財政不足から住民1人当たりの予算が削減されていくので、民間の会社を利用することもできる。官民が混ざった「ウェルビーイング・エリア」のコンソーシアムが作られ、ケアワークやケアサービスの人員は、クンタではなく「ウェルビーイング・エリア」が雇用することになる。

２０２２年1月には「ウェルビーイング・エリア」を選挙区とした選挙が行われ、議員が選出された。選出された議員は、議長や副議長などを選び議会を作る。この選挙は短縮して「エリア選挙」と呼ばれている。これまでフィンランドの選挙は、地方議会選挙と国会選挙の２つだったが、エリア選挙はその中間の県レベルの選挙になる。ただし、ウェルビーイング・エリアが決定するのは、社会保健ケアサービスの内容と運営に限定されている。２０２２年１月の最初の選挙の後は、地方選挙と同時に行われるようになる。

第１章と第２章でフィンランドの法人について少しふれたが、ウェルビーイング・エリアは自治体や国家とは別個の公的法人で、自治の機関と説明されている。面白いのはウェルビーイング・エリアは、私的法人である会社や市民団体に与えられるのと同じビジネスＩＤ番号を持っていることだ。ビジネスＩＤ番号は７桁の数字、ハイフン、１桁の数字から成る。国家やクンタも同じ公的法人だが、ビジネスＩＤ番号は持たない。ビジネスＩＤ番号は、市場のシステムに組み入れられたことを示している。つまり、ウェルビーイング・エリアは公的法人であると同時に私的法人でもあり、市場の原理も持つものとして理解できるだろう。

１９９０年代には不況や欧州連合加入などがあり、ウェルビーイング国家の将来について盛んに議論された。財政的に困難になるので公的な責任を小さくする、ウェルビーイング国家からウェルビーイング社会に変えるなどが提案された。２０００年代頃からは、特に老人ケアに民間企業が参入し始めている。よく知られているのはスウェーデン系の会社だが、利潤を目的にするのでケアの質に問題があることは、時々ニュースで報じられる。国家によるケアサービスが、新自由主義によって変化していく過程でもあるだろう。国家、市場、第三セクター、家族の間での分配が今後どう変化していくのか、興味深いところだ。

個人のレベルでは、この改革は具体的にどういう変化をもたらすのだろうか。高齢化によって医療ケアの需要が高まるが、少子化と高齢化によって、今後は税収入が減っていく。社会が変化するとき、ケアサービスも変化する必要があると政府は説明している。これまで公的医療機関では待ち時間が長かったが、今後は、電話してから7日以内に診察の予約がとれるようにすることも約束している。

第5章でふれたように、２０１０年代には「ウェルビーイング経済」という概念が導入されている。ウェルビーイング経済は一人ひとりのウェルビーイングを進めることを主眼にした経済で、ウェルビーイングへの投資によって、経済成長と長期的に持続可能な財政の共存を図ろうとするものだ。ＯＥＣＤの主導でフィンランドが議長国だった２０１９年10月に、欧州連合としてウェルビーイング経済の方針を採択。特に教育、社会保障、平等、ヘルスケア、労働の領域を重視しており、社会保健で増大するコストをそうした領域への投資によって賄おうとする新自由主義の考えを持っている。

「社会的」という意味——介護の脱家族化

フィンランドの幅広いケアは「社会保健サービス」「ソーシャルサービス」としてのケアであり、社会的なケアが中心になる。それは、国家によるケアの社会化であり、ケアの脱家族化を指す。欧州連合の中で北欧諸国はケアの脱家族化の割合が高い。2006年の統計では、ハンガリー、ポーランド、スペイン、イタリアは家族によるケアが多く、イギリス、フランス、ドイツ、オランダはその中間になっている。もちろんフィンランドでも親が子どもをケアし、子どもの言葉や存在によって親がケアされるなど、家族による多様なケアは日常生活の中で行われているが、家族の親密圏の中で完結するのではなく国家が制度化して支援している。

フィンランドでは、親が子どもを扶養する義務は18歳で終わる。また、成人した子どもに親を扶養する義務はなく、20代後半を過ぎた子どもと親の同居は少ない。ただし、法的な義務はなくても老いゆく親、年老いた親を訪ねてケアする子どもはいる。老人施設に入るよりも、必要な場合は訪問のケアワーカーに来てもらって、可能な限り在宅で生活することを希望する人は多い。また、自治体にとっては老人施設でのケアより支出が少ないという現実があり、在宅での生活は政策としても進められている。

配偶者や親、病人、障がい児などを近親者が介護することは親族ケアと呼ばれ、自治体の審査を経て親族ケア手当を毎月受けることができる。受給が決まると親族ケア法に基づいて親族ケア契約を結び、ケア計画を作って期間や休日のとり方、代行のケアワーカーを頼む場合などについてなども決めておく。ただし、親族ケア契約は結ばず、自治体が提供する訪問介護サービスを利用しながら身内をケアするケースも多い。

親族ケア手当は月額で現在、最低４１３・４５ユーロ（約5万４０００円）、肉体的にきつい場合は最低８２６・９ユーロ（約10万７０００円）である。税金が差し引かれるが、手当の金額は将来の年金に計算される。また親族ケア同盟という市民組織があって、情報提供や支援を行っている。長男の妻に無償で介護をさせるような、インフォーマルなケア労働が多い日本のあり方とはとても異なる制度である。２０１９年の統計では、全国で約４万８７００人が親族ケア契約を結んで介護を行っている。その70％は女性で、最も一般的なのは、65歳以上の妻が認知症の夫を介護するケースだという。

親には18歳を過ぎた子どもを扶養する義務はないが、成人した子どもを家に住まわせて、経済的に支援することはある。しかし、フィンランドで8050問題はない。8050問題は、日本で80代の親が50代の子どもを扶養している状態を指す。子どもがひきこもりを続けた結果であることが多いとされるが、公的なケアのシステムや公助がないことも大きな原因だろう。フィンランドでは、そこまで深刻化する前に、生活保障や精神科の専門家などによる支援がある。

「社会的」という意味――女性によるキリスト教運動

ソーシャルワークとしてのケアを考えるとき、キリスト教の背景を見落とすことはできない。19世紀後期から女性たちがキリスト教の背景を持って行ったケア活動も、ソーシャルワークと呼ばれる。フィンランドの社会学者でタンペレ大学教授のピリヨ・マルッコラは、女性たちによる宗教的な活動の諸相を論じた。

まず、フィンランドの宗教を簡単に説明すると、他の北欧諸国同様プロテスタントのルター派が主流である。ルター派は、ドイツの修道士マルティン・ルター（１４８３－１５４６）が１５１０年代にカトリック教会を批判したことから派生した宗派だ。ルターの時代、法王や神父は絶大な権力を持ち、教会は権威主義化していた。また教会は、死後天国に行くために自分の犯した罪を帳消しにする贖宥状《しょくゆうじょう》を売って金儲けをしていた。ミサではラテン語が使われており、普通の人々には意味がわからなかった。７つの儀式（サクラメント）があり複雑化していたが、人々はラテン語の聖書を読めずキリストの教えを知らなかった。

ルターはこうしたことを批判、カトリック教会の改革をはかった。聖書をドイツ語という世俗の言葉に翻訳し、儀式ではなく聖書を信仰の中心に据えた。また、カトリック神父の独身主義を批判。修道院ではなく、日常の生活の中での信仰を説いた。修道院を作るまでもなく、世界全体が修道院と考えたため、独身である必要はなく妻帯した。ルターの宗教改革はカトリック教会へのプロテスト（抗議）だったため、プロテスタントと呼ばれるようになった。そこからはメソジスト、バプティストなど多くの宗派が派生し、ルター派はその一つである。

フィンランドで宗教改革は「信仰浄化」、または「刷新」と呼ばれている。カトリックは不浄なものだったのであり、教会からカトリック的なものを取り除いて「浄化」、簡素化していった。ルター自身はルター派という言葉を使ったことはなく、福音（エヴァンゲリカル）という言葉を好み、『福音書』にあるように福音に従うことを説いた。福音は、「喜ばしい知らせ」を意味する。神学的にはイエス・キリスト誕生の知らせを意味し、それによって人々を救済する道が開けたことを指す。さらに、その福音を宣教によって広く世に知らせ、広げようと志向する。

ルター派の基本的な考えは、大まかにいうと次のようになる。人は、原罪を負って生まれてくる。また日々の生活の中で、キリストの教えに反することをしているが、そうした罪は２つのサクラメントによって贖《あがな》うことができる。サクラメントは、神の赦《ゆる》しと愛を可視化する儀式であり、神がともにいること、神との接触を感じる儀式でもある。具体的には、洗礼と聖餐《せいさん》（日曜日の礼拝での共食）の２つがサクラメントだ。それは人の罪を浄化する。人は神の赦しを得て救済され、死後は天にある神の国に行き、永遠の命を得る。

神はスピリチュアルと世俗（現世）の２つの領域で、原罪と悪に対して戦っている。スピリチュアルな領域では、神の言葉と福音によって。世俗の世界では武力や法、罰によって。スピリチュアルな善と世俗の善を求めるために、神は2つの領域を統治している。人の世界の支配者は地上での神の代理人で、正義を守るために地上にいるので人々はそれに従う。下の者への配慮とケア、上の者への従順によって人は天職を果たす。父母、夫と妻、息子、娘などの関係も天職と考えられた。

ルターは、世界は教会、国家、家計を一にする世帯の3つから成ると考えた。女性は教会と国家には属さない。また公人にはなれず、政治参加もできない。女性の天職は世帯の中で妻、母、娘として神に仕えることだとした。

フィンランドにキリスト教が最初に伝えられたのは、1150年代。カトリックの時代であり、スウェーデンの一部になる前の時代だ。フィンランドという国はなく、スウェーデンという国もまだあまり明確な輪郭は持っていなかった。時代が下り宗教改革を経て、ルターの信仰を伝えたのはミカエル・アグリコーラ（1507－1557）である。1530年代に、ドイツのヴィッテンベルグ大学でルターの教えを学んだ。1548年には、新訳聖書をフィンランド語に訳している。

フィンランド各地には、カトリック時代に建てられた中世の教会が残っている。カトリックの教会では、聖書を知らずラテン語の話を聞いても理解できない人々のために、絵画や彫刻、ステンドグラスなど視覚に訴える方法でキリストの教えを示した。しかし、宗教改革後、十字架に架けられたキリスト像は取り外され、絵画、壁画、天井画などの装飾は上塗りして消された。カトリック時代の装飾が修復され始めるのは、1990年代以降である。フィンランドでカトリックは根絶されたわけではないが、統計では新興宗教やイスラーム教などとともに「その他の諸宗教」に入れられる少数派だ。公式な発表によると、現在の信者数は約1万5000人。移民によって、最近増加している。

1869年の教会法によって、それまで密接に関連していた教会と国家が分けられ、「フィンランド福音ルター派教会」という名が正式なものとして定められた。つけ加えると、「福音派」という名称は、トランプ前大統領を支えた共和党とつながるアメリカのキリスト教右派として、最近日本で知られるようになった。妊娠中絶や同性婚に反対している「保守派」だが、フィンランドの福音ルター派とは関係のない宗派である。

大まかにいうと、フィンランドはこうした宗教史を持つ。前述したように、ピリヨ・マルッコラは1860年から1920年の間の女性たちによる運動を論じた。特にディアコニア、救世軍、白いリボン、フィンランド女性協会（1884年設立）を中心に扱っている。

ディアコニアは日本では聞きなれないが、もともとはカトリックや東方教会で発達した制度だ。プロテスタントの世界では、1836年にドイツで始められ、北ヨーロッパに広がった。

ディアコニアは、キリスト教の信仰を持って貧しい人や病人のケアをした独身女性で、北欧にはない存在だった。プロテスタントは宗教改革を経て修道院を廃止し、修道女もいない。ディアコニアは、当時の帝政ロシアの首都ペテルスブルグを訪れたフィンランド人貴族女性を通じて、１８６０年代のフィンランドに伝えられた。１８６７年にヘルシンキに創設された「シスターの家」は、ディアコニアのコミュニティである。制服を着て貧しい人や病人のケアを行い、無償で働いた。代償としてコミュニティから日々の糧を得、また病気になったり、年老いて働けなくなったりしたときは支えを得た。１９００年代に入っても長いドレスにエプロン、頭に被り物をつけたディアコニアは修道女と看護婦の中間にあるような姿をしている。ディアコニアは中流層以上の女性たちの支持を得、またルター派の牧師とも協働しながらフィンランドに根づいていった。

　ルター派の考えでは、人は修道院の隔離の中ではなく、日々の生活の中で神に奉仕する。女性の天職は母と考えるが、未婚女性のディアコニアは母のない者への母であると説かれ、未婚女性にその天職を果たす道を与えた。マルッコラはディアコニアを「プロテスタントの修道女」と位置づけ、新しい女性の天職のあり方を視覚化したと論じている。

　現在もフィンランドには、ディアコニア部を持つ公立病院がある。また多くの教区にはディアコニア部があって、家族、グリーフケア、高齢者、薬物問題、精神衛生、障がい者、ホームレスなどに関わるサービスとケアを提供している。１９９６年には私立のディアコニア大学がヘルシンキに創設され、社会保健、手話通訳、看護師、教会での仕事などで学士を取ることができる。

マルッコラは、女性によるソーシャルワークとして救世軍も論じている。救世軍は１８６０年代にイギリス、ロンドンで起きたメソジスト（プロテスタント）の運動で、フィンランドに影響を与え始めるのは１８８０年代である。救世軍は人の罪や苦しみ、社会の悪、貧困との戦いを宣言し、「スラムのシスター」と呼ばれる女性たちが労働者の住居地区でソーシャルワークを行った。活動の内容は集会、孤児のケア、売春婦のためのシェルター作りなどである。救世軍という名前が示すように軍隊のような階級制度があり、士官候補生から中尉に昇級したフィンランド女性もいた。政府はその活動を禁止しようとしたこともあったが、１８９９年には各地に35の支部と１１５人の士官のいるソーシャルワークの組織に成長。フィンランドに根づいていった。救世軍が行ったのは道徳改革だが、最終的に目指したのは魂の救済であり、すべての人は救われるという福音主義的な考えを持っていた。

マルッコラはこうした歴史的文脈の中に、１８６０年から１９２０年の女性たちのソーシャルワークを位置づけた。正統的な福音ルター派ではなく、外国の影響を受けた自由教会と呼ばれる宗派による女性たちの運動を覚醒運動（herätysliike, evangelical revivalism）として解釈しながら、新しいケアの領域が作られていく過程を示した。また、キリスト教的なソーシャルワークの多くは、紆余曲折を経ながら国家に引き継がれたことも示唆している。つまり、フィンランドの「社会保健ケア」や「社会保健サービス」は、女性たちが行ったソーシャルワークを広げていったものとして理解することができるだろう。

男女平等にも宗教が関わっていた

「覚醒運動」は宗教的な目覚めによる改革や刷新、世直しを目指す運動を指す。ルター派教会に対する批判を持つもので、歴史的にいくつも起きており、教会から離脱していった運動もあった。現在フィンランドのルター派教会が、覚醒運動として公式に認めているのは、１７００年代から１８４０年代までの４つの運動である。また、１９６０年代に起きた新敬虔《けいけん》主義を「第５の覚醒運動」と位置づけている。

覚醒運動について説明するには、敬虔主義（ピエティズム）の説明が必要になる。敬虔主義は１６００年代末のドイツに現れた思想で、１７００年代にスウェーデン教会に影響を与えるようになった。当時、フィンランドはスウェーデンの一部であり、宗教的にはスウェーデン教会の下にあった。敬虔主義は、ルター派教会が神学的な教義に偏りすぎていること、また教会の儀式が「父と子と聖霊」というキリスト教の三位一体の思想の中の聖霊を欠落させていることとを批判した。ルター派教会は儀式を簡略化し、洗礼と聖餐の２つだけを儀式として重視する。しかし、敬虔主義の信奉者は、そうした儀式はなくても神の恵みと赦しを受けることができると主張した。敬虔主義は儀式や慣習ではなく、聖書を読むこと、心の中で神と対話することなど個人の内面的な信仰を重視する。日常生活では簡素や質素を良しとし、トランプなどのゲームやダンスは現世的な罪として禁止。厳格な服装の決まりもあった。つまり、カトリックの過剰や華美を浄化したルター派の信仰をさらに簡素化し、信仰の根源に立ち返ろうとしたといえるだろう。敬虔主義は宗教に限らず、北欧の社会や文化、デザイン、インテリアなどに大きな影響を与えてきている。

敬虔主義の影響を受けて、フィンランドでは１７００年代から１８００年代に各地でさまざまな覚醒運動が起きた。前述したように、現在教会が公式に認めているものは４つだが、そのうち最も重要なのは、１８４０年代に東南フィンランドで起きた福音主義である。福音主義は自分の罪に対する神の赦しを乞い、赦しを待ち望むのではなく、信仰を内部化して自分のものとし、喜びを感じながら救済を信じることによって人は救われると説いた。キリストは人の罪を背負って処刑された。自分の命と引きかえにして、堕落した人を罪や死、悪魔から解放、救済してくれたのだ。救済は最終的には死後、天でなされる。そこは永遠で、終わることのない神の帝国である。

マルッコラは、１８６０年から１９２０年のフィンランドの女性たちによるソーシャルワークをこうした覚醒運動の中に位置づけて新しい視点を示した。さらにマルッコラは、女性たちによるソーシャルワークが政治への関心につながっていったことも論じている。１８８０年代から90年代になると、個人的な活動や慈善的な活動では根本的な社会問題を変えることはできない、罪と悪に対して戦うには、法的・政治的な改革が必要と考えられるようになった。１８８４年にフィンランド女性協会が設立され、道徳改革に加えて女性の労働権と法的権利を主張した。それに反対したある有名な牧師は、国家と結婚は神に与えられたものであり、人間にはその神聖な秩序を変える権利はないと主張。女性が男性と同じ尊厳を持ち、家族のみに止まらない任務があることは認めたが、女性に平等な権利を与えるのは神が与えた社会的秩序に抗うことになる。女性の解放は神の意思への不服従であり、不道徳と性的放縦《ほうじゅう》をもたらすと主張した。

それに対してフィンランド女性協会は、女性の権利を求めるのは神聖なる社会秩序への反乱ではないと反発。どの規範が神によって命じられたものなのか、どの規範が神が与えたと主張されているだけなのかを分ける必要があると反論した。興味深いことに、その反論は、かつてルターがカトリック教会に向けた議論と同じものだったという。時代が下って、新しい社会的な役割と権利を求める女性たちが再び発したのだった。さらに、フィンランド女性協会は、もし社会の問題や欠陥が神によって命じられ作られたことを論理的に証明できるなら、女性の権利主張はやめるとも述べた。

女性たちは聖書を再解釈し、キリスト教の基本的な価値は自由と平等であり、キリスト教が女性解放の基盤になると主張した。フィンランド女性協会の会長を務め、作家、国会議員でもあったアレクサンドラ・グリペンバリ（１８５７－１９１３）は、女性解放はキリスト教の果実であると主張。女性解放には２つの原則があるとした。１つは男女が平等の権利を持つこと、道徳的にも平等であること。２つ目は女性を性的なくびきから解放し、両性に同じ純潔さを求めることである。こうして、キリスト教の基盤の上に女性の権利の主張を論理づけた。

当時は女性に貞操を求める一方、男性は好き勝手にしてよいという二重規範があった。グリペンバリを始めフィンランド女性協会の女性たちは労働権、政治的権利に加えて性的・道徳的平等を求めた。ただし、政治に参加するのはキリスト教の女性と考えていた。キリスト教の世界観を持つ女性が投票し、正しい価値観によって問題を解決すべきである。無神論者が多い労働者階級の女性に参政権はいらないと考えており、すべての女性の政治的権利を主張していたわけではなかった。

男女平等や女性解放の主張が神学論的な論争を経たこと、またそうした思考と論理の回路を通って議論がなされたことは、とても興味深い。ソーシャルワークを行った女性はもちろんだが、初期の女権運動家も社会主義者を除いて熱心なキリスト教徒である。フィンランド女性協会の会議議事録を見ると、会議では必ずお祈りをしており、宗教的な雰囲気をうかがうことができる。

最近の英語圏の研究は、女性参政権運動を政治運動とするよりも、その宗教的な側面を指摘している。セーラ・アペトレイ（２０１０年）は、アメリカの女性参政権運動は、クエーカー（プロテスタントの宗派）から切り離すことができないと論じている。また、ジャクリーン・デブリース（２０１０年）は、イギリスの初期の闘争的な女性参政権運動は政治的というよりも、むしろ宗教的な性格が強かったことを指摘している。それらの研究は、西欧近代と宗教の関係にも新しい視点をもたらすものだ。

従来、宗教的な側面が論じられてこなかったのは、西欧啓蒙思想が近代を脱宗教化され合理的、理性的であるとしたことに一因があると思われる。西欧は、宗教的だった過去と決別して近代を達成したが、非西欧は宗教的で前近代にとどまっているという考え方が支配的だった。実は、宗教は西欧近代に深く影響しているのだが、女性史研究者も従来の考え方を内面化して、宗教の側面を最近まで扱ってこなかった。

女性参政権の問題に少しふれると、フィンランドでは英米のような闘争的な運動によってではなく、日露戦争でのロシア敗北という政治的な状況によって、１９０６年に24歳以上のすべての人が国政の選挙権と被選挙権を得た。女性参政権については、どの国が一番早かったかを競うような傾向があり、覇権争いの様相を呈することがある。フィンランドやニュージーランド、ドイツのケースなど世界の女性参政権には、実は多様なあり方があったのだが、女性たちの闘争と近代的な主体性によって権利が勝ち取られたという、英米の物語が覇権を持って語られてきた経緯がある。

幸福度の高さとキリスト教

レリジョン・ブラインド（宗教に対する盲目）という言葉を使ったのは、スウェーデンの歴史家インゲル・ハンマルである。ジェンダー・ブラインドという言葉があり、男女の二元化があたかも自然なことであるかのように不可視化されてきたことを指す。それを宗教に広げて、ハンマルはスウェーデンの女性史研究が、初期のフェミニスト運動がキリスト教思想に根ざしていることを不可視化してきたことをレリジョン・ブラインドと呼んで批判した。ハンマルは、男女平等と女性解放の思想はキリスト教の思想に根ざし、神学的な議論を選択的に用いたことを論じている。

ハンマルは、スウェーデンのジェーン・オースティンとも呼ばれる作家で女権運動家、フレデリカ・ブレーメル（1801－1865）から、スウェーデンの思想家かつフェミニストのエレン・ケイ（１８４９－１９２６）への流れを追った。ブレーメルは聖書と神学を選択的、かつリベラルに解釈し、女性の自由と解放、男女平等を論じた。ケイは当初、ブレーメルのような初期フェミニストと同様の考えを持っていたが、１８９０年代にはそれを批判し、リベラルなキリスト教解釈から無神論的な思考へ、また社会民主主義へと転向していった。スペンサーの進化論やオーギュスト・コントの実証主義、ショーペンハウアーのペシミズムなどに加え、ストリンドベリやイプセンなど北欧の作家からの影響も受けた。ケイは再生産（子どもを産むこと）に限定しない女性のセクシュアリティ、神学的なアプローチではなく個人の内面の問題として女性解放を主張。また、死後の生を否定しており、ルター派に限らずより広いキリスト教の立場から見ても、非常に大胆な思想を持っていたとハンマルは論じている。エレン・ケイは日本でも知られているが、主に子どもや母性について論じたフェミニストとして狭く理解されているようだ。

　こうしたハンマルの視点は、西欧近代批判としても重要である。西欧と非西欧、近代と伝統、合理と非合理、科学と宗教、理性と感情、男性と女性などの多くの二元論と差異を作り出されてきたことは周知の通りだ。そうした二元論の批判と修正はもちろん必要だが、それだけではなく、西欧近代が自己の宗教性を不可視化してきたことも検証する必要がある。他者を宗教化してきた西欧近代に、宗教的転回が起きていると考えることもでき興味深い。

フィンランドで、教会の教区に所属する人は年々減っていて、現在は人口の約68%である。しかし、教区に所属しているか、また神を信じるか信じないかという問題ではなく、思考や感覚、文化、社会に宗教が浸透しているという認識が重要になる。

こうした流れの中で、２０１９年には『フィンランドに於《お》けるルター主義のレガシー』という本が出版された。ルター派というよりもルター主義ととらえ、「ルター主義の構築と国家のアイデンティティ」「教育と文化」「社会的な実践」「教会のアダプテーション」の4章から成る。ルター主義が北欧の政治や教育、社会、経済、文化の基盤としてあること、またフィンランドへの影響を考察している。平等主義、政府への信頼、個人的な慈善ではなく国家を通じた公平な再配分、社会民主主義、市民社会の形成などをルター主義の視点から考察。宗教が北欧型福祉国家の形成に与えた影響を再評価し、世俗化したルター派国家として北欧型福祉国家をとらえる視点を提示している。

北欧諸国が、ジェンダーギャップ指数や世界幸福度レポートでトップを占めることはよく話題になる。『フィンランドに於けるルター主義のレガシー』は、そうしたこととルター主義の関連も示唆している。マックス・ウェーバーは『プロテスタンティズムの倫理と資本主義の精神』で営利の追求に批判的なプロテスタンティズムが、資本主義の発達をもたらした矛盾を論じた。ただし、ウェーバーが論じたのはカルヴァン派やピューリタン、バプティスト、メソディストなどの宗派が多く、ルター派については少ない。ルター派の研究から、新たな視野が開ける可能性もあるかもしれない。

　キリスト教は一枚岩ではなく、とても複雑な分岐や改革、発展を経てきた。ここで説明したのはそのほんの一部にすぎない。ルター派は、カトリック教会批判から生まれた。そのルター派へのさらなる批判、議論、改革を経て平等や女性の政治・社会への参加、ウェルビーイングなどの現在地に立っているという説明には説得力がある。フィンランドは１９６０年代後半以降、急速に変化した。変化することへの抵抗が少なく、現在も変化し続けている。宗教改革という大きな改革後に小さな社会改革や社会改良を行う覚醒運動が今も続いている、と見ることは可能かもしれない。

おわりに

北欧は高福祉高税金、とよく言われる。確かに、フィンランドは消費税が24%と高く、特に食べ物や飲み物が高いことは、南欧や中欧、東欧に行くと感じる。しかし、所得税は収入額に応じた累進課税で、収入が少ないと税金も少ない。最近は、所得税を減らす税制がとられている。むしろ、それほどお金がなくても、セーフティネットなどを使ってそこそこ暮らしていける国だと思う。誰も、老後に２０００万円が必要などと思っていない。そんなことを聞いたら、みな仰天するだろう。老後に２０００万円が必要というのは、経済政策に失敗した国としか思えないのだが、日本では、２０２１年に『老後の資金がありません！』という映画がコメディ・エンターテインメントとして公開されている。

フィンランド人は貯金するという考えも希薄で、お金が入ると旅行などにすぐ使ってしまう。ただし最近は、投資型貯金や資金運用型貯金も人気があり、新自由主義的な影響が感じられる。しかし、住居や保育、教育、労働、休暇、医療など生活全体のクオリティと安全性が高い。さらに、自分自身の時間を生き、自分らしく生きていける社会でもある。

税金の不透明、不正な流用は稀で、所得の再分配が機能している。使途を明かす必要のない巨額の官房機密費など、絶対にありえない。政治は身近で、国営放送や民放では毎日、大臣をはじめ政治家や専門家がさまざまな時事問題を議論。政策の意図や根拠、問題点などについて説明している。

市民も政治に参加する。特に地方議会は、生活に直結する問題を解決しようとする場になっている。2021年6月の地方選挙で立候補したのは3万5627人。人口約553万人の国で、約150人に1人が立候補したことになる。その内訳は学校の先生やケアワーカー、バスの運転手、自営業者、学生、年金生活者など普通の人たちだ。18歳になると地方と国政、また2021年1月からは、その中間の県のレベルになるウェルビーイング・エリアの選挙権と被選挙権を得る。立候補にあたっての供託金はない。

フィンランドでも右翼政党の台頭がある。また、特に女性の政治家に対するヘイトスピーチが増えているといわれる。しかし社会全体で見た場合、民主主義、法治主義、立憲主義、ウェルビーイング、平等、公平、人権、安全などは揺るがない基本的な原則であり、重心もそこにある。

フィンランドの政策は人口が少ないから可能という意見を聞くが、問題は人口の多少ではなく理念にある。もし人口が多かったとしても、フィンランドの理念と政策は変わらないだろう。

女性に関しては、さまざまな仕組みが女性を差別しているという認識が社会を変えてきた。避妊、中絶、出産、結婚後の姓、子育ての分担、労働、政治的・社会的な権利と参加。シングルマザーに追加の支援をする政策には、シングルマザーが差別され、不当に扱われていた過去への反省がある。また、２０００年代以降は、女性に止まらず性的マイノリティの権利向上と社会・政治参加も進めてきた。それは、男女の結婚を基本としてきた近代家族の規範を修正するものでもある。差別や排除が完全になくなることはないかもしれない。しかし、女性に対してだけではなく、より広範な市民と永住者に対して「優しい」国へと変化していると見ることは可能と思われる。もちろん、これで完成ということはなく常に途上にある。今後も変化を続けていくだろう。

本書のいくつかの例で示したように、新自由主義はフィンランドにも影響を与え、平等よりも競争と格差に向かわせそうな様相も見せる。新自由主義に組み込まれていくのか、またはどう抗していくのかは興味深いところだ。私は、抗していって欲しいと思う。

現在のフィンランドは、人々のウェルビーイングを第一に考えた国の形であり、ケアする国家とも呼べるだろう。幅広く人々のウェルビーイングや安全、生活の質をケアする国家である。１９００年代前半までは保守的だったが、60年代以降、急速に変化した。変化は国家との闘争によるよりも、国家との協働によって実現されてきた。変化は歴史的にキリスト教的世界観の批判、再解釈、議論、修正などを経て起こされたものと見ることも可能で、論理と思考回路がわかりやすい。特に、現在のあり方は、世俗化したルター派国家と考えることもできるようだ。日本がいつまでも変わらず、議論も進まないのは、社会を貫く原則がないことが原因の一つかもしれない。

息子が最後に日本に行ったのは、6年前。将来、日本を訪れることもあるだろう。そのときは、日本の良さも感じてほしいと思う。また、日本も変わってほしい。多くの人がより生きやすい社会へ、ウェルビーイングにあふれる社会へと。

最後に、幻冬舎の岩堀悠さんにお礼を申し上げたい。とてもお若いのだが賢明で、さまざまな助言をいただいた。

若い世代に希望を託しながら。

年表

1809	スウェーデンからロシアに譲渡される
1869	教会法によって教会と国家が分離
1906	24歳以上のすべての成人に国政の選挙権と被選挙権付与
1907	国会選挙で200人の当選者のうち、女性が19人
1917	ロシアから独立、1日8時間労働の法律を制定
1918.1～1918.5	内戦
1921	義務教育法制定
1923	信教の自由法制定
1937	母性支援法制定
1938	マタニティボックス支給開始
1939.11～1940.3	冬戦争
1941～1944	継続戦争
1944.9～1945.4	ラップランド戦争
1948	ソ連と友好協力相互援助条約。児童手当法制定。母親に支払われる児童手当開始。国民学校で無償の給食開始
1963	母親の有給産休開始
1964	労働時間法。1日8時間、週5日労働が60年代後半に普及
1970	学校が週5日制に
1972	年休が4週間に
1972～1977	国民学校を廃止、小中学校に
1973	保育園法制定
1978	父親の有給育児休暇開始
1979	小中学校教員に修士号が必要に
1986	男女平等法制定
1988	フィンランド福音ルター派教会初の女性神父誕生（全国で94人）
1989	欧州評議会加入
1991	ソ連崩壊、国連子どもの権利条約批准
1991～1995	不況、金融危機
1994	欧州経済領域（European Economic Area）加入
1995	欧州連合加入
2001	同性パートナー登録制度の法制化（財産、相続などに関して異性婚と同じ権利を付与）
2002	通貨がマルクからユーロに
2014	同性婚を認める法案を可決
2017	同性婚を認める法律を施行

参考文献

はじめに

岩竹美加子、「ヨーロッパ的知のなかのフィンランド――フィン-ウゴル主義をめぐって」、森明子編、『ヨーロッパ人類学 近代再編の現場（フィールド）から』10章、新曜社、２００４年。

日本生産性本部、「労働生産性の国際比較２０２１」、２０２１年。（https://www.jpc-net.jp/research/assets/pdf/report_2021.pdf）

European Commission. 2021. Finland in the Digital Economy and Society Index.（https://digital-strategy.ec.europa.eu/en/policies/desi-finland）

New York Times. 2022.2.8. ‘Finlandization’ of Ukraine is part of the diplomatic discourse. But what does that mean?（https://www.nytimes.com/2022/02/08/world/europe/ukraine-russia-finlandization.html）

Reporters without Borders. 2021 World Press Freedom Index.（https://rsf.org/en/ranking）

Sustainable Development Solutions Network. 2022. *The World Happiness Report 2022*.（https://worldhappiness.report/ed/2021/）

World Economic Forum. 2021. *Global Gender Gap Report 2021*.（http://www3.weforum.org/docs/WEF_GGGR_2021.pdf）

第1章

厚生労働省、「被保護者調査：調査の結果」。（https://www.mhlw.go.jp/toukei/list/74-16b.html#link01）

高齢社会福祉ビジョン懇談会、「21世紀福祉ビジョン～少子・高齢社会に向けて～」、平成6年3月28日。（https://www.ipss.go.jp/publication/j/shiryou/no.13/data/shiryou/syakaifukushi/489.pdf）

総務省統計局、「世帯の居住状況とその推移」、２００８年。（https://www.stat.go.jp/data/jyutaku/2008/nihon/4_1.html）

内閣府、男女共同参画局、「第５次男女共同参画基本計画」、２０２０年。（https://www.gender.go.jp/about_danjo/basic_plans/5th/index.html）

山下慎一、「日本国憲法における『勤労の義務』の法的意義」、『福岡大学法学論叢』、２０２０年12月、65巻３号、５５９−６０２頁。

Brunila, Anne. 2020. *Kuka olisi uskonut: muistikuvia*. Tammi.

Ministry of Social Affairs and Health. 2021. *Making Finland a Global Leader in Gender Equality. Government Action Plan for Gender Equality 2020-2023*. Publications of the Ministry of Social Affairs and Health. 2021:10.

Piirinen, Jouni and Jukka Honkanen. 2020. *Jokaisen oikeustieto*, Sanoma pro.

Tilastokeskus. 2019.10.10. Omistusasuminen vähenee nuorissa ikäluokissa.（https://tilastokeskus.fi/til/asas/2018/01/asas_2018_01_2019-10-10_tie_002_fi.html?ad=notify）

――――2021. Asunnot ja asuinolot 2020.（https://www.stat.fi/til/asas/2020/asas_2020_2021-05-20_fi.pdf）

Kela. Osasairauspäiväraha.（https://www.kela.fi/osasairauspaivaraha）

――Sairauspäiväraha.（https://www.kela.fi/sairauspaivaraha）

――Työttömyysetuutta Kelasta?（https://www.kela.fi/tyottomyysetuutta-kelasta）

第2章

遠藤正敬、『天皇と戸籍　「日本」を写す鏡』、筑摩選書、２０１９年。

総務省、「住民基本台帳等」、２０２１年。（https://www.soumu.go.jp/main_sosiki/jichi_gyousei/daityo/gaiyou.html）

総務省統計局、「世帯の居住状況とその推移」、２００８年。（https://www.stat.go.jp/data/jyutaku/2008/nihon/4_1.html）

FINLEX. Etu-ja sukunimilaki.（https://www.finlex.fi/fi/laki/alkup/2017/20170946）

Paikkala, Sirkka. 2004. *Se tavallinen Virtanen: suomalaisen sukunimikäytännön modernisoituminen 1850- luvulta vuoteen 1921*. Suomalaisen Kirjallisuuden Seura.

——— 2014. Which name upon marriage? Family names of women in Finland. Biblioteca Tecnica de Politica Linguistica. pp.853 - 861.

Robertson, Jennifer. 2017. *Robo Sapiens Japanicus: Robots, Gender, Family, and the Japanese Nation*. University of California Press.

Wikipedia. Digitalisaatio.（https://fi.wikipedia.org/wiki/Digitalisaatio）、２０２２年３月10日アクセス。

Yle. 2019.1.2. Uuden sukunimilain pelättiin uhkaavan perheiden yhtenäisyyttä.（https://yle.fi/aihe/artikkeli/2014/09/18/uuden-sukunimilain-pelattiin-uhkaavan-perheiden-yhtenaisyytta）

第３章

本田由紀、『教育は何を評価してきたのか』、岩波新書、２０２０年。

朝日新聞、「筆記と面接ない教員採用試験、福岡市が導入へ　国も容認」、２０２１年４月18日。（https://www.asahi.com/articles/ASP4K61ZCP4FTIPE013.html）

ＮＨＫ政治マガジン、「休憩０分も 教員時間外労働　平均で過労死ライン超」、２０２１年12月15日。（https://www.nhk.or.jp/politics/articles/lastweek/74074.html）

GLOBAL NOTE、「世界の公的教育費対ＧＤＰ比率 国別ランキング・推移」、２０２１年３月10日。（https://www.globalnote.jp/post-1479.html）

西日本新聞、「教員不足、頼みは臨時免許　大学生にも…『乱発は制度形骸化招く』」、２０２１年７月11日。（https://www.nishinippon.co.jp/item/n/768653/）

文部科学省、「日本の子供たちの自己肯定感が低い現状について」（文部科学省提出資料）、２０１６年。（https://www.kantei.go.jp/jp/singi/

kyouikusaisei/chousakai/dai1/siryou4.pdf）

同右、「子供たち一人ひとりに個別最適化され、創造性を育む教育 ＩＣＴ環境の実現に向けて～令和時代のスタンダードとしての１人１台端末環境～《文部科学大臣メッセージ》」、２０１９年。（https://www.mext.go.jp/content/20191225-mxt_syoto01_000003278_03.pdf）

文部科学省、国土交通省、厚生労働省、「地域参加による学校づくりのすすめ」。（https://www.mext.go.jp/a_menu/shotou/zyosei/020902.pdf）

毎日新聞、「小学生から教える『批判的思考』 偽情報はねのけるフィンランドの教育」、２０２１年12月29日。（https://mainichi.jp/articles/20211227/k00/00m/030/325000c）

同右、「大学進学は『ぜいたく』ですか？　国に制度改正迫る虐待経験者たち」、２０２２年1月10日。（https://mainichi.jp/articles/20220108/k00/00m/040/106000c）

European Economic and Social Committee. 2007, “Improving the Quality of Teacher Education”.（https://www.eesc.europa.eu/en/our-work/opinions-information-reports/opinions/improving-quality-teacher-education）

Opetus- ja kulttuuriministeriö. Opettajankoulutus 2020. Opetusministeriön työryhmämuistioita ja selvityksiä 2007:44.

―――― 2020. Oppivelvollisuus pitenee.（https://minedu.fi/oppivelvollisuudesta-selkokielella）

―――― Vapaasivistystyö.（https://minedu.fi/vapaa-sivistystyo）

―――― 2021. Perhetaustan ja alueellisten erojen merkitys voimistuu – on aika nostaa koulutuksen tasa-arvo etusijalle.（https://minedu.fi/-/perhetaustan-ja-alueellisten-erojen-merkitys-voimistuu-on-aika-nostaa-koulutuksen-tasa-arvo-etusijalle）

Valtioneuvosto. 2021. Valtioneuvoston koulutuspoliittinen selonteko. Valtioneuvoston julkaisuja 2021:24.

Yle. 2021.1.18. Kilpailullisuus ei kasvata yhteistyöhön-huipuksi kouluttaminen ei tue lapsen kehitystä.（https://areena.yle.fi/audio/1-50718348）

第4章

シービンガー・ロンダ著、小川眞理子／財部香枝訳、『女性を弄ぶ博物学―リンネはなぜ乳房にこだわったのか』、工作舎、１９９６年。

朝日新聞、「時代遅れな日本の中絶方法　心を無にしていた医師の私」、２０２１年７月17日。（https://www.asahi.com/articles/ASP7G5DRTP6SUPQJ01X.html）

ＦＮＮプライムオンライン、「９割が『中絶』…重い決断迫られる『新型出生前診断』〝無認可〟も横行」、２０１９年８月４日。（https://www.fnn.jp/articles/-/22382）

JIJI.COM、「無痛分娩、本当に大丈夫？～後悔しないために知るべきこと～」、２０１７年。（https://www.jiji.com/jc/v4?id=mtu1810001）

塚原久美、「中絶薬の導入で日本女性にも中絶の権利を　掻爬を前提とした法律と医療を、全面的に見直すべき時だ」、『論座』、２０２１年12月21日。（https://webronza.asahi.com/national/articles/2021121700001.html?page=1）

毎日新聞、「緊急避妊薬の市販、医師はなぜ慎重　若い世代は『簡単に入手』求める」、２０２１年３月19日。（https://mainichi.jp/articles/20210318/k00/00m/040/372000c）

Jouppila, Riitta. 2007. Synnytyskivun hoidon kehitys Suomessa. *FINNANEST* 40(3). pp.203-207.

ScienceDirect. WHO Joint Interregional Conference on Appropriate Technology for Birth: Fortaleza, Brazil 22-26 April, 1985.（https://www.sciencedirect.com/science/article/abs/pii/S1031170X88800473）

World Health Organization. Female genital mutilation.（https://www.who.int/news-room/fact-sheets/detail/female-genital-mutilation）

Yle. 2006 9.8. 1960-luvun uusiin ns. “yhden asian liikkeisiin” kuului myös Yhdistys 9-naisasiajärjestö, jonka jäsenistä vajaa kolmasosa oli miehiä.（https://yle.fi/aihe/artikkeli/2006/09/08/naisasiajarjesto-yhdistys-9-kerasi-jasenikseen-myos-miehia）

第5章

上野千鶴子、『ナショナリズムとジェンダー』、青土社、１９９８年。

大越愛子、『フェミニズムと国家暴力　トランスナショナルな地平を拓く』、世界書院、２００４年。

周燕飛、『貧困専業主婦』、新潮社、２０１９年。

内閣府男女共同参画局、『男女共同参画白書　令和３年版』、２０２１年。

マルサル・カトリーン著、高橋璃子訳、『アダム・スミスの夕食を作ったのは誰か？　これからの経済と女性の話』、河出書房新社、２０２１年。

岩竹美加子、「親が３〜４人いる家族の形『クローバーファミリー』をご存知ですか？　フィンランドの事例から見えること」、『現代ビジネス』、２０２０年７月４日。（https://gendai.ismedia.jp/articles/-/73731）

Nikkei Com.「男性育休の取得率、初の１割超え　業界・企業規模で差」、２０２１年10月11日。（https://style.nikkei.com/article/DGXZQOFK275QA0X20C21A9000000/）

Aamulehti, 2017. 4.5. Millaista äitien arki oikeasti on? Kotiäiti ja työssäkäyvä äiti kertovat.（https://www.aamulehti.fi/kotimaa/art-2000007409702.html）

Anttonen, Anneli. 1997. *Feminismi ja sosiaalipolitiikka*. Tampere University Press.

------------ 1999. *Lasten kotihoidon tuki suomalaisessa perhepolitiikassa*. Kela. Sosiaali-ja terveysturvan tutkimuksia 52.

Anttonen, Anneli, Lea Henriksson, Ritva Nätkin, eds. 1994. *Naisten hyvinvointivaltio*. vastapaino.

Helsingin Sanomat. 2015.5.21. Juristi vaihtoi uran kotiäitiyteen-miksi?（https://www.hs.fi/elama/art-2000002825519.html）

------------ 2017.8.23. Antti Rinne, 54, kehottaa suomalaisia “synnytystalkoisiin” -sanavalinta tyrmistyttää ja hävettää demareitakin.（https://www.hs.fi/politiikka/art-2000005337384.html）

------------ 2022.1.27. Vauvoja syntyi viime vuonna pandemiasta huolimatta enemmän kuin pitkään aikaan-Tutkija kertoo, mikä syntyvyyteen jatkossa vaikuttaa.（https://www.hs.fi/kotimaa/art-2000008569735.html）

Hernes, Helga Maria. 1987. *Welfare State and Woman Power*. Norwegian University Press.

Iwatake, Mikako. 2008. Post-colonial critique and the politics of writing women's history. *Redescriptions: yearbook of political thought, conceptual history and feminist theory*. Vol.12. pp.172-195.

―――――――― 2010. Strong Finnish women and their others. *The European Mind: Narrative and Identity*, vol. II. ed. Henry Frendo. Malta University Press.

Kantola, Johanna. 2006. *Feminists theorise the state*. Palgrave Macmillan.

―――――――― 2021. Persistent paradoxes, turbulent times: gender equality policies in the Nordics in the 2010s. in Anu Koivunen, Jari Ojala and Janne Holmlén, eds, *The Nordic Economic, Social and Political Model: Challenges in the 21st Century*. Routledge.

Kela. Perhevapaiden tietopaketti. (https://www.kela.fi/perhevapaat-tietopaketti)

―――― Vanhempainraha. (https://www.kela.fi/vanhempainraha)

Kellokumpu, Jenni. 2007. Perhevapaiden kehitys 1990-2005: *Isillä päärooli uudistuksissa, sivurooli käyttäjinä*. Palkansaajien tutkimuslaitos. Reportteja 10.

Keskinen, Suvi, Pauline Stoltz, and Diana Mulinari, eds. 2020. *Feminisms in the Nordic Region, Neoliberalism, Nationalism, and Decolonial Critique*. Palgrave.

Markkola, Pirjo. 2002. Vahva nainen ja kansallinen historia. In Tuula Gordon, Katri Komulainen and Kirsti Lempiäinen, eds. *Suomineitonen hei! Kansallisuuden sukupuoli*. Gummers Kirjapaino Oy.

Ministry of Social Affairs and Health. 2005. Government Action Plan for Gender Equality 2004-2007. Ministry of Social Affairs and Health publications 2005:12.

Outshoorn, Joyce and Johanna Kantola, eds. 2007. *Changing State Feminism*. Palgrave.

Pulkkinen, Tuija. 1989. *Valtio ja vapaus*. Tutkijaliitto.

Sosiaali- ja terveys ministeriö. 2021.7.2. Perhevapaauudistus. (https://stm.fi/perhevapaauudistus)

Tilastokeskus. Äidit tilastoissa 2021. (https://www.stat.fi/tup/tilastokirjasto/aidit-tilastoissa.html)

第6章

朝日新聞、「介護保険料払えず差し押さえの高齢者、初の2万人超　負担増も背景か」、２０２１年11月9日。（https://www.asahi.com/articles/ASPC87KGYPC8UTFL004.html）

Anttonen, Anneli and Liina Sointu. 2006. *Hoivapolitiikka muutoksessa: julkinen vastuu pienten lasten ja ikääntyneiden hoivasta 12:ssa Euroopan maassa*. STAKES.

Apetrei, Sarah. 2010. *Women, Feminism and Religion in Early Enlightenment England*. Cambridge University Press.

deVries, Jacqueline, 2010. More than Paradoxes to Offer: Feminisms, History and Religious Cultures. In Sue Morgan and Jacqueline deVries, eds. *Women, Gender and Religious Cultures in Britain, 1800-1940*. Routledge.

Hammar, Inger, 2000. From Fredrika Bremer to Ellen Key: Calling, gender and the emancipation debate. In Pirjo Markkola ed. *Gender and Vocation: Women, Religion, and Social Change in the Nordic Countries, 1830-1940*. Studia Historica 64. Finnish Literature Society.

――――2003. Protestantism and women's liberation in 19th century Sweden. In Inger Marie Okkenhaug, ed. *Gender, Race and Religion: Nordic Missions 1860-1940*. Studia Missionalia Svencana XCI.

Joutsivuo, Timo. 2002. Puhtaan luterilaisuuden viljelijät. In Tuomas M.S. Lehtonen and Timo Joutsivuo, eds. *Suomen kulttuurihistoria 1, Taivas ja maa*. Tammi.

Kuntaliitto. Omaishoito. 2021.2.3.（https://www.kuntaliitto.fi/sosiaali-ja-terveysasiat/sosiaalihuolto/iakkaiden-palvelut/omaishoito）

Markkola, Pirjo. 2002. *Synti ja siveys: naiset, uskonto ja sosiaalinen työ Suomessa 1860-1920*. Suomalaisen kirjallisuuden seura.

Ministry of Social Affairs and Health. 2021.3.9. An economy of wellbeing simultaneously increases wellbeing and sustainable economic growth.（https://stm.fi/en/economy-of-wellbeing）

Nelson, Robert. H. 2017. *Lutheranism and the Nordic Spirit of Social Democracy: A Different Protestant Ethic*. Aarhus University Press.

Ramsay, Alexandra. 2003. Naisasialiike - itsevarmuuden pitkä taival. In Anja Kervanto Nevanlinna and Laura Kolbe, eds. *Suomen kultuurihistoria 3, Oma maa ja maailma*. Tammi.

Sinnemäki, Kaius, Anneli Portman, et al eds., 2019. *On the legacy of Lutheranism in Finland*. Finnish Literature Society.

Sipilä, Jorma and Anneli Anttonen. 2008. Miten hyvinvointivaltio muutti elämämme? In Häggman, Kai, et al eds. *Suomalaisen arjen historia, Hyvinvoinnin Suomi*. Weilin + Göös.

Sulknen, Irma. 1997. Naisten äänioikeus meillä ja muualla. In Eeva Ahtisaari, et al. *Yksi kamari-kaksi sukupuolta: Suomen eduskunnan ensimmäiset naiset*. Eduskunnan kirjasto.

Suomen evankelisluterilainen kirkko. Pietismi. (https://evl.fi/sanasto/-/glossary/word/Pietismi)

Valtioneuvosto. Sote-uudistus. Mikä on hyvinvointialue? (https://soteuudistus.fi/mika-on-hyvinvointialue)

著者略歴

岩竹美加子《いわたけみかこ》

一九五五年東京都生まれ。一九九一年より三十年以上にわたりフィンランドで暮らしている。ペンシルヴァニア大学大学院民俗学部博士課程修了(Ph.D.)。早稲田大学客員准教授、ヘルシンキ大学教授等を経て、現在同大学非常勤教授(Dosentti)。著書に『フィンランドの教育はなぜ世界一なのか』(新潮新書)、『PTAという国家装置』(青弓社)、編訳著書に『民俗学の政治性』(未來社)、共著に*Folklore: Critical Concepts in Literary and Cultural Studies*(Routledge)等。

幻冬舎新書 653

フィンランドはなぜ「世界一幸せな国」になったのか

二〇二二年五月二十五日　第一刷発行

著者　岩竹美加子
発行人　志儀保博
編集人　小木田順子
編集者　岩堀　悠

発行所　株式会社　幻冬舎
〒一五一-〇〇五一　東京都渋谷区千駄ヶ谷四-九-七
電話　〇三-五四一一-六二一一(編集)
〇三-五四一一-六二二二(営業)
振替　〇〇一二〇-八-七六七六四三

ブックデザイン　鈴木成一デザイン室
印刷・製本所　中央精版印刷株式会社

Printed in Japan　ISBN978-4-344-98655-8 C0295
い-38-1

幻冬舎ホームページアドレス https://www.gentosha.co.jp/
*この本に関するご意見・ご感想をメールでお寄せいただく場合は、comment@gentosha.co.jp まで。